台湾はおばちゃんで回ってる?!

近藤弥生子

大和書房

はじめに――台湾との縁

私が台湾に住み始めたのは2011年2月、日本で東日本大震災が起こる前の月のことだった。駐在員として台湾に赴任していた男性との結婚をきっかけに、7年間ほど勤めていた東京の出版社を退職し、台湾に移住した。とはいっても、それまでの私にあった台湾とのご縁とは、台湾好きの友人や同僚からパイナップルケーキや台湾茶をいただく程度のもので、台湾旅行の経験も、遠距離恋愛中の彼に会いに行った数回程度だった。

東京の出版社では雑誌やウェブメディアの編集をしていて、アルバイトから入社した右も左も知らない私をたくさんの先輩方が育ててくれた。世間知らずな割にいつも猪突猛進だったから、直属の上司は「猛獣使い」と呼ばれていたらしい。それでも猛獣は猛獣なりに、当時の仕事を天職だと思っていた。人事部長からも「まさか、コンちゃんが寿退職するとはね。おめでとう」と言ってもらったけれど、私自身もまさか自分が会社を辞める日が来るなんて、想像だにしなかった。

今考えると、寿退社は幕開けに過ぎなかった。壮大な送別会をたくさん開いてもらい、期待に胸を高鳴らせて訪れた台湾で、私の結婚生活は始まったとたんに音を立てて崩壊していった。

台湾へ渡った翌月、自分が妊娠していることが分かった。ほぼ同時のタイミングで、東日本大震災が起きた。両親と弟が暮らす茨城県も、影響を受けていた。気が気でないが、まずはお腹に宿った子どもを最優先に考えなければならない。里帰り出産について地元の産婦人科に問い合わせてみると、「今はお隣の福島県からの受け入れで手一杯なので、医療機関が整った台湾で産めるのならそうしてください」とのことだった。それで私は、台湾華語（台湾で使われている中国語。中国大陸で使われている中国語とは言い回しなどが大きく異なる）が全く話せないところから台湾で妊婦検診に通い、そのまま出産することになった。

今でこそ台湾のことを大切に思っている私だが、当時は台湾暮らしを楽しめずにいた。ひどいつわりで、台湾華語を習得しようと入学した語学学校に通うこともままならない。就労ビザがないから働くこともできない。言葉は一向に上達しないし、友人もできない。街はいつどの時間帯でも、そこかしこから食べ物の匂いがする。コンビニの中でさえ「茶葉蛋（チャーイエダン）」という台湾風煮卵の匂いが充満しているから、一歩店内に足を踏み入れるだけで、涙がにじむほどきつかった。息を止めながら急いで利用するものの、店を出てから堪えきれず道端で吐いたことは、一度や二度ではない。

そんな私の転機となったのが、なんとか無事に出産してから半年後、台湾のデジタルマーケティング企業にビザを出してもらって就職したことだ。しかも、たまたま社長夫妻にも同じ月齢のお子さんがいたので、私も子連れで出勤できることになった。就業時間中は会社の会計アシスタントさんに子どもたちの面倒を見てもらい、がむしゃらに、そして楽しく働いた。そんな矢先、元夫から「家族で日本に帰ってやり直そう」と提案された。

仕事がいくら楽しくても、家族に代えられるものはなかった。職場に別れを告げ、永遠の別れと思って断腸の思いで台湾を去り、日本の長野県で暮らし始めた。だが、やはり結婚生活は思うように続けられず、結局3ヶ月ほどで離婚することになってしまった。

実家のある茨城に帰るか、東京へ出るか……。日本でシングルマザーとして生きていく道を模索していると、台湾でお世話になった社長から呼び戻され、2歳になったばかりの子どもと二人、今度は自分の意志で、台湾へ戻ることとなった。

その後もいろんなことが起きて、私は今、台湾人夫と子連れ再婚し、次男が生まれ、家族四人、台湾で暮らしている。これまでの自分の人生を思うと、今の自分を包む幸せがまるで幻のように思えてくるほどだ。

思いもよらない出来事が人生に次々に起こることについて、よく人からこう言われる。

「波瀾万丈、ジェットコースターのような人生だね」

「前に会った時とは別人のようで、つきものが落ちたみたいに見える」

確かに、そうかもしれない。

今の幸せがあるのは、間違いなく夫や子どもたちのおかげだ。だが、台湾で暮らすことによって、私が長年植え付けられていた呪縛から解放されたのも、少なからず影響しているように感じている。「人に迷惑をかけてはならない」とか「女性は男性を立てるべき」といった価値観は、私が日本で暮らしていた頃は自然とまとっていたけれど、台湾では必要ないから脱ぎ去ることができたものだ。

脱いだ今だから思う。

「あれは、本当に必要があるものだったのだろうか？」

今、私はノンフィクションライターと名乗っている。取材やインタビューで人の話を聞くのが好きでこの仕事をしているから、普段はあまり自分の話を書こうという気持ちにならないのだが、私が台湾暮らしで得た経験が、誰かの心を縛っている不要な呪縛をほどく一助になるのなら――そう思い直し、綴ってみることにした。

※1ニュー台湾ドル（以降「元」と表記）を5円で計算しています。
※シングルマザーや再婚経験について記載した部分は、前夫と現夫の許可を取って掲載しています。

台湾はおばちゃんで回ってる?!　もくじ

第1章 たくましくて人間味あふれる台湾人

第3章 台湾での妊娠・出産

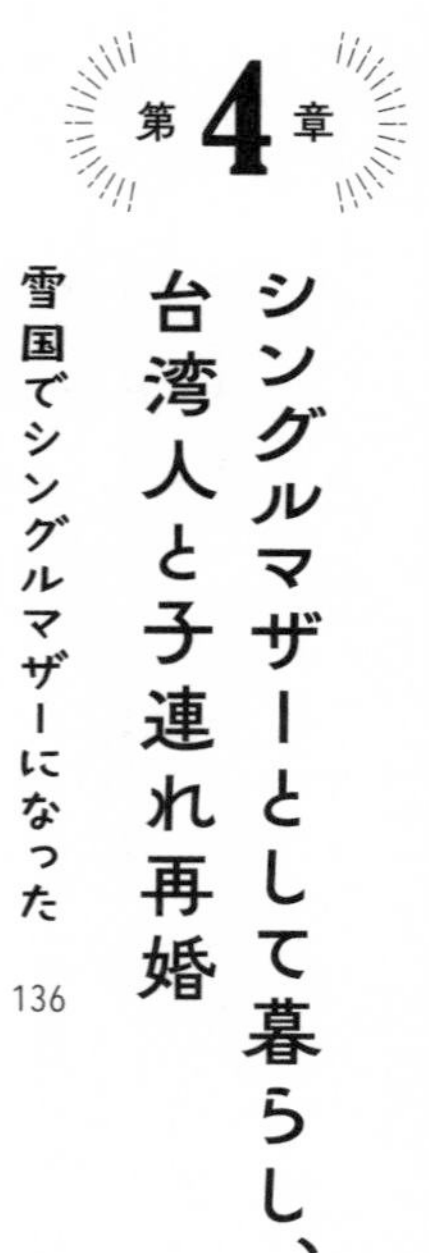

第4章

シングルマザーとして暮らし、台湾人と子連れ再婚

第5章

台湾で子育て、そしておばちゃんになった私

第1章

たくましくて人間味あふれる台湾人

台湾社会におばちゃんは欠かせない

オードリー・タンさんから教わった「雞婆」

台湾のデジタル担当大臣オードリー・タンさんを取材していた時のこと。

コロナ禍で大活躍した台湾政府の「マスクマップ（医療用マスクの在庫がリアルタイムで分かるアプリ）」が、もともとは民間人がボランティアで開発したものであり、オードリーさんはそれを参考に政府版を作ったのだと聞いた私は驚いて、

「なぜ台湾人はこんなにも社会問題を自分ごととして捉え、解決しようと行動できるのでしょうか」

と尋ねた。オードリーさんの答えはこうだった。

「台湾には『雞婆（ジーポー）』という形容詞があります。不公平なことを見かけた時、警察や町内会の会長のような人が解決してくれるのを待たずとも、どうにかしてもっと良くできないか考え、それを他の人に惜しみなくシェアするような精神です。台湾人は皆、

その精神を持っています」

鶏おばさん――オードリーさんから教わった言葉「雞婆」は、その後もずっと、私の心に残り続けた。

思い返してみれば、私自身、日本にいた頃から自分の中にまあまあ大きいサイズの「雞婆」を飼っていたように思う。ある程度飼い慣らしていたはずだったのだが、台湾で暮らし始めたことで、私の中の「雞婆」は、どんどん自己主張を強めていった。バスや電車で妊婦さんやお年寄り、赤ちゃんや小さな子連れの人を見かけると、空いている席を探して案内する。知らない人の背中のリュックが開いてお財布が見えていたら、すぐさま駆け寄ってその旨を伝える。「誰もやらないなら、私が」という気持ちで、反射的に身体が動いてしまう。もはや左肩の上に「雞婆」が乗って、ふんぞり返っているような状態だ。

日本にいた頃には、そうした自分の出しゃばった性格が世間では「おせっかい」と分類され、少し恥ずかしいことのようにみなされるのだとばかり思っていた。だからオードリーさんから「雞婆」を肯定された時には我が事のように嬉しくなり、その日の夜には台湾人夫に向かって大真面目に、

「せっかくオードリーさんから教わった言葉だし、自分的にもしっくり来るし、これからは仕事で使う名前のミドルネームを〝雞婆〟にして、『近藤・雞婆・弥生子』って名乗ろうと思うけど、どうかな？」

と提案したほどだ。普段はおっとりした夫だが、この時ばかりは間髪いれず、

「それはやめておいた方がいいんじゃないかな」

と笑顔で止めてきたし、台湾人の友人にこのミドルネームについて話してみたら、「狂ってる！」と言われた。友人が通うジムには、閉館間際になるとシャワーを浴びる他の客たちに向けて「あと5分で閉館ですよ！」といった感じでカウントダウンを叫び続けるお客の「雞婆」がいるらしく、「せっかくのリラックスした気分が台無しだよ」とのこと。

実際、台湾における「雞婆」は、「余計なお世話を焼く人」といった、あまり良くない意味で使われることが多い。当時のオードリーさんは、おそらく「世話焼き」程度のニュアンスで例に挙げたのだと思う。

でも、いいじゃない。私は今年42歳になる立派なおばさんなのだし、「鶏おばさんの精神が社会の役に立っている」と、あのオードリーさんが言うのだから。それに、

もし私が素敵な「鶏おばさん」になることができたら、もしかすると台湾だけではなく日本にも、楽しい「鶏おばさん」仲間ができるかもしれない！

子どもを産んだ途端、「おばさん」認定

そもそも、私は30歳で台湾に移住した時から、「おばさん」になっていた。どういうことなのか、説明しよう。台湾華語で女性を呼ぶ呼称には、主だったところでこれらが挙げられる。

◆**「妹妹（メイメイ）」**：小さな女の子。日本語の「お嬢ちゃん」
◆**「小姐（シャオジエ）」**：若い女性に対して使う。日本語の「お姉さん」
◆**「阿姨（アーイー）」**：子どもを産んだ、または中年の女性に対して使われる。日本語の「おばさん」
◆**「女士（ニューシー）」**：相手が未婚・既婚にかかわらず、敬意を込めたい場合に用いられる。フランス語の「マダム」のようなポジション
◆**「阿嬤（アマー）」**：日本語の「おばあちゃん」

ちなみに日本語の「おばさん」は、「歐巴桑（オバサン）」という台湾華語があるほどポピュラーだ。台湾には日本統治時代の影響が残っているし、日本のコンテンツが即時かつ大量に入ってくるので、こうして日本語がそのまま台湾華語として定着するのは珍しいことではない。「歐巴桑」は、呼称として使われるわけではなく、「おばさん」的なキャラクターを表現したい時に、名詞として用いられる。日本のアニメ『あたしンち』に登場するお母さんは「日本の歐巴桑」を象徴する存在として、台湾でも大人気だ。

大らかな台湾であっても、女性をどの呼称で呼ぶかというのはデリケートなトピックである。私は30歳で台湾に移住した当初から今でも、レストランやホテル、マッサージ店やデパートといったサービス業の現場では、一貫して「小姐（お姉さん）」と呼ばれている。これは、「お客のことは、とりあえずそう呼んでおけば角が立つことがないだろう」と店員側に判断されたからだと思う。

だが、出産後に子連れで出歩くようになって以来、公園や道端でちょっと立ち話するような相手から、急に「阿姨（おばさん）」と呼ばれるようになった。正直なところ、はじめて「阿姨」と呼ばれた時にはとても衝撃を受けた。

「阿姨って、お、おばさん……？　私が？」

私が台湾に来たのも、長男を出産したのも、同じく30歳の時だ。子どもを産んだ途端、自分は社会から「おばさん」認定されるのかと、少なからずショックだった。それが今では「意外とこれでいいのかも？」と思えているのだから不思議だ。

自分が「おばさん」であることを受け入れられるようになったのは、台湾における「おばさん」のイメージが、それほど悪いものでもないと思うようになったからだ。台湾で暮らして11年も経つと、台湾社会はおばさんたちで回っており、彼女たちは欠かすことのできない存在だと思うようになった。ただ、「おばさん」というよりは、「おばちゃん」という日本語の方が、元気で、チャーミングで、笑顔が似合う彼女たちのイメージにしっくりくる。

力強く「自分軸」で生きるおばちゃんたち

台湾のおばちゃんたちは、とにかくパワフルだ。朝早くから、公園で仲間たちと運動する習慣を持っていることが多い。運動といっても、好きな音楽に合わせて思い思いにダンスするといったもので、「アーチーチー！　アーチー！」とノリノリの郷ひろみのようなジャパニーズポップスから、最近ではもっぱら韓流ミュージックへと人気がシフトしてきている様子。前列にうまく踊れる人、後列には前列を見ながら踊る人が立つといった配置もなんとなく決めてある。

そして、皆でお揃いのTシャツを着ている。大きな公園などではいくつもの団体を見かけるが、ピンク、黄色、紫とチームカラーで衣装を揃えてあるので、どの団体が

朝食店のおばちゃんたち。「今日は何食べる?」と威勢の良い声が聞こえてくるようだ。

どこにいるかがひと目で分かる。

ひと汗かいた後の彼女たちは、そのままその場でおしゃべりに花を咲かせる。

「最近親戚の知り合いから買った魚がおいしかったから、今度みんなで買わない？たくさん買えば安くなるらしいから」

「台湾大学キャンパス内のサガリバナ（一夜だけ咲いて翌朝には散ってしまう美しい花）が見頃でね、昨日の夜に家族で行ってきたよ」（と、大量の写真を見せる）

といった生活を楽しむ知恵の交換から、

「いつも私たちの社區（シャーチュー）（行政で区分けされたコミュニティエリアのこと）のごみの仕分けをしてくれていたおばあちゃん、この間転んで足を痛めてしまったんだって。今度からごみの仕分けはおばあちゃんに頼らずにできないかな？」

「身寄りのない子どもたちが、コロナ禍でつらい思いをしているって。今夜みんなで食べ物を持ち寄って訪ねてみない？」

など、自分たちが暮らしている地域にある課題や問題を、自分たちでどうにか解決できないか話し合ったりしている。かなり民度の高い井戸端会議が日々繰り広げられているのだ。

台湾には「社區」以外にも、行政で区分されたエリアごとに「里(リ)」という、日本でいうところの町内会のような単位が存在する。そこの長となる「里長(リーヂャン)」は、いわば町内会長で、自分たちの里で起きるさまざまな問題に対処したり、コロナ禍では政府以外の団体から寄贈されたマスクなどの防疫物質を配る拠点になったりと、暮らしに深く入り込んで活動している。いい里長がいる地域は良くまとまっているし、里長は地域住民から頼りにされている。びっくりしたのが、友人の台湾人男性が、

「自分はいつか里長になるんだ」

と、本気で話していたことだ。思わず、

「え、かなり大変そうだし、面倒なことだらけなんじゃない?」

と言ってしまったが、

「里長は地域でもすごく尊敬される存在なんだよ」

と真剣だった。

そんな里長と台湾のおばちゃんたちは、強い協力体制にある。里長にとって機動力のあるおばちゃんたちは頼みの綱だし、おばちゃんたちも、里長にしっかりしてもらわないと、自分たちの暮らしに影響する。だからできる範囲で協力するし、自分が困

ったり、困っている人を見つけたら里長に相談するのだ。

そして、おばちゃんたちは「自分軸」で生きている。好きなものを着て、好きなように食べる。何歳になっても、自分が着たければ短パンやミニスカートを堂々とはいている。私のママ友たちも、おへそを出してホットパンツをはいている。人の目を気にする必要はなく、自分が納得すれば良いのだ。

おばちゃんたちの服や靴、アクセサリー類などで好まれる傾向にあるのは「プリンプリン（キラキラという意味）」しているもの、そして、彼女たちのコンセプトカラーであるピンク。それもサーモンピンクなどの落ち着いたピンクではなく、潔く主張の強いショッキングピンクの一択だ。

以前、台湾を代表する若手の女性歌手９ｍ88さんをインタビューした時、彼女が持参した自前の衣装がまさにこのピンク色だった。

「台湾っぽい色ですね」

と私が言うと、

「台湾のおばちゃんたちが大好きな色よね」

と、彼女は微笑んだ。その撮影のために写真家の川島小鳥さんが日本から訪れたから、台湾らしさを意識して選んだ衣装だったのだろう。

そして、なんといっても人情深いところ、人間らしいところが彼女たちの魅力だ。

私は台湾で6年間ほどシングルマザーとして暮らしていたので、日々の買い物には幼い息子を自転車の後ろに乗せたまま、市場へ通っていた。ただ、息子のお昼寝のタイミングがずれて、買い物中に自転車の後ろで寝てしまうこともよくあった。一応、自転車に付属されている安全ベルトは付けてあるのだが、市場にいるベテランのおばちゃん勢にはとても見ていられない状態だったのだろう。

「お姉ちゃんこっちにおいで！　危なすぎるから紐でしばってあげるよ！」

と言って、野菜をしばるための丈夫な紐で、息子を自転車にしっかりくくりつけてくれたものだった（そういえば、その紐もショッキングピンクだった）。帰宅して、ギッチギチに固く結ばれたその結び目を解くのに苦労しながら、私はいつも、おばちゃんたちの優しさに励まされていた。

「台湾の最も美しい風景は〝人〟（台灣、最美的風景是人）」——台湾には、こんな言葉がある。それは主に台湾の人情深い人々のことを指すのだが、そこにおばちゃんたちが大きく貢献しているのは、間違いないだろう。

というわけで、台湾に来てからの私は「おばちゃん」についての概念を大きく覆された、自分が「おばちゃん」であることをポジティブに受け入れるようになっていった。考えてみると、「おばちゃん」以外にも、台湾で暮らすうちにさまざまな「呪縛」が解かれ、楽になっていることがたくさんあるということに気付いた。本章では、そんなことについて綴ってみたいと思う。

同調圧力がない台湾

「当たり前」を押し付けない

台湾をテーマにした取材を日本から受ける時、私がいちばん困るのが「台湾では、皆さんこの件についてどう思われているのでしょうか？」という質問だ。何せ、台湾社会はひとくくりにできないグラデーションを帯びているから、「みんながこう思っています」と断言することなど不可能なはずなのだ。

食事ひとつとっても、長男が通う小学校では、給食の種類を「シンプルなもの（価格が安い）」と「比較的栄養価が高いもの（少し割高）」のどちらにするかを選ぶことができるし、政府の資料に記入する際にも、性別欄には「男女」以外の選択肢が用意されていることが多い。「一人ひとりのニーズが異なるのは当たり前」ということが感じ取れる。

キャリアにも、「こういう経歴が当たり前」といったものがない。そもそも台湾には日本のような「新卒一括採用」という概念がなく、大学在籍中はもちろん、卒業後も「すぐに就職して当然！」という雰囲気はない。大学院に進学したり、30歳までのワーキングホリデー制度を利用して海外へ出たりする人も少なくない。どのようなキャリアを歩むにせよ、就職活動は各々が卒業後に自分のペースで行うものなのだ。私の台湾人夫も、リーマンショックで勤務先が経営危機に陥ったために自主退職し、そこからは半年ほど単発のアルバイトで食いつないだ後、ワーキングホリデーで日本に行ったのだそうだ。

日本だと「社会人は定職に就く」とか、「女性は化粧をする」といった「世間の当たり前」にそぐわなければならないような同調圧力が働きそうなものだが、「そういうこともあるよね」となるのが台湾だ。

以前、社会人になりたての同僚と取引先を訪問した際、訪問終わりにトイレを借りたと思ったら、着ていたスーツを私服に着替え、化粧まで落としてきたのにはちょっとびっくりした。「スーツも化粧も好きじゃないから」とのことだった。そこで「確かにもう訪問は終わったのだし、それでいいのかも」と思った私も、だいぶ台湾化していているような気がする。

迷惑をかけることにひるんだりしない

台湾で働くにあたり、私にとって最大の課題は「台湾華語の習得」だった。「働きながら覚える」といえば聞こえはいいが、言語ができないと何をするにも人の手を煩わせねばならず、実戦ではお話にならない。そこで始めたのが、スタッフとの「言語交換（異なる言語のネイティブスピーカー同士がお互いの言語学習を助け合うこと）」だった。外国語学習者がよく行う練習方法で、お互いに学習したい言語を教え合う。業務時間終了後に1時間程度、息子を他の人に見ていてもらいながら、私は日本語を教え、相手からは台湾華語を教えてもらった。

数ヶ月単位で何人かと行っていて、最後に「言語交換」をしたのは、デザイナーとして働いていた林橋（リンチャオ）さんだ。情に厚く、子どもに優しい彼女とは、週に一度、デパ地下のフードコートで夕食を取りながら、長男を連れたまま言語交換をした。長男も彼女にとてもなついていて、いつも隣に座りたがった。

仕事で使う台湾華語から時事ニュースまで、さまざまなことをテーマに話したが、今でも忘れられないのが、日本人が海外の紛争地帯で人質になるという胸の痛む事件が起こった時の彼女の反応だった。人質として捉えられた日本人男性の母親が「皆さんにご迷惑をおかけしていることに心よりお詫び申し上げます」と謝罪していたのだが、その中で母親が「息子の命を救ってください」と発言し、日本では世間から大きく批判されているようだと解説すると、林さんは「台湾のおばちゃんだったら、絶対に『私の子どもを助けて！』と騒ぎ立てるよ。迷惑をかけることにひるんだりしないよ」とつぶやいた。

確かに、台湾では「人さまに迷惑をかけること」が日本ほどネガティブではないように思う。むしろ、「人が生きている上で、人に迷惑をかけるのは仕方のないこと」「お互いさま」といった雰囲気だ。コロナ禍でも、ひたすら「同理心（トンリーシン）（思いやり）を持とう」という呼びかけが目についた。「コロナに感染しても、周囲から非難されるのが怖くて打ち明けられない人が出てしまうと、結果的に感染を抑え込むことはできなくなります。こんな状況では誰がかかってもおかしくないのですから、感染した人を責めてはなりません。お互いに思いやりを発揮しましょう」と。

そんな私も、最近スーパーで買ったごぼうを自転車のかごに入れて走っていたところ、何かの拍子にかごからごぼうが飛び出し、道路脇に落ちてしまったことがあった。横断歩道を渡り終えてからごぼうがないことに気付き、引き返して拾おうとしたのだが、交通量が多い道だったので、いつごぼうが車にひかれてもおかしくない状況だった。信号が青になるまでヒヤヒヤしていた私だが、すごいことに気付いてしまった。車の運転手たちが、私のごぼうを避けて運転しているのだ！　信号が青になり、急いで拾い上げたごぼうは無傷だった。なんて思いやりにあふれた社会なんだ、すごいよ台湾。

このようにして私は、お互いに迷惑をかけ合いながら生きることの素晴らしさを再確認し、さらなるおばちゃん修業に邁進するのだった。

台湾に同調圧力がないのはなぜ？

日本で育った私自身、「人と同じでなければならない」と教えられてきた世代だが、台湾で働きはじめて「自分と人は違って当たり前。自分のことを尊重してもらいたいし、私もあなたを尊重する」という姿勢で議論する台湾人たちからはとても刺激を受けた。これも本当に人や職場や業界にもよるのだろうが、私が仕事をしているメディア業界やマーケティング業界、IT業界などでは、実績さえ残せていれば、上下関係なく比較的フラットに意見を出し合えているように思う。

トップダウン経営の企業は多いものの、「同調圧力」があまり感じられないのはなぜだろう。私はそうした場面に遭遇するたび、その原因について考えてきた。そしてあくまで私の仮説だが、九州ほどの面積の小さな島の上で、さまざまなバックグラウンドを持つ人々が暮らしているから、職場や学校などで一緒になった人に対しても「それぞれ価値観は違うのが当たり前」という態度で接することができているのではないかと思うようになった。

台湾は実にさまざまなエスニックグループによって社会が構成されている。もともと台湾に住んでいた台湾の原住民族※は、政府が認めているだけで16民族もあり、それぞれの民族ごとに受け継がれている伝統や文化がある。

原住民族側には、後から入ってきた民族から受けた虐殺と経済的な搾取などに対す

※台湾では「先住民」という言葉が「すでに滅びた」というニュアンスをもって使われるため、元来その地域で暮らしてきたという意味で「原住民族」と呼ぶことを政府が定めている。

る負の感情があった。中には、日本統治時代に民族の言葉を使うことを禁じられたことで、文化の継承が難しくなっているというように、日本が深く関連しているものもある。２０１６年に総統に就任した蔡英文さんは、原住民族に対して「４００年にわたって苦痛や不公平な待遇を受けてきた。政府を代表して謝罪する」と公式の場で謝罪を行い、委員会を設置して関連法の制定や政策について定期的に協議していく姿勢を明らかにした。

オランダ、スペイン、鄭成功、清朝、日本、そして中華民国……。ずっと他者により支配され続けてきた歴史を持つ台湾が、「自分たちは台湾人である」「台湾人ってどんなものだろう」と、アイデンティティを強く模索するようになった今、原住民族が持つ独自の豊かな文化も、改めて見直されてきている。長男の小学校の教科書では、彼らの歴史はもちろんのこと、生活の知恵も紹介されている。

台湾東部の花蓮（ホアーリエン）に家族旅行に行った時には、馬太鞍（マータイアン）湿地に住むアミ族の人々の暮らしの知恵「巴拉告（バーラーガオ）（生態系に負担をかけすぎずに魚を獲る方法）」を体験させてもらい、長男は「学校で習ったやつだ！」と興奮していた。馬太鞍湿地には「巴拉告」以外にもアミ族の工藝を体験できるような施設があり、台湾中から多くの旅行者が集まっていた。

原住民族など、さまざまなエスニックグループを含めた豊かな文化そのものが台湾であるという概念は、カルチャー界にも浸透してきている。台湾最大の音楽賞「金曲獎（金曲賞）」には14回目となる2003年度から原住民族語や客家(はっか)語、台湾そもそもの言語である台湾語（ホーロー語）などで歌う歌手が受賞する部門が設立された。

身近なところだと、私の愛用している名刺入れやスマホケースは、「KAMARO'AN(カマロアン)」という、アミ族に伝わる伝統工藝を取り入れたプロダクトを展開するブランドのものだ。同ブランドはMoMA（ニューヨーク近代美術館）のミュージアムショップでも取り扱われるなど、海外でも注目を集めている。

原住民族以外でも、台湾といえば、「外省人（共産党軍との内戦に敗れた中国国民党政府が中国大陸から台湾に国体を遷した「1949年」ことを契機に、中国大陸から台湾に渡ってきた人々）」と「本省人（戦前から台湾に住む漢人系の移民。17世紀以降に中国大陸の福建省から来た閩南(びんなん)人と客家人たち）」の対立が強かった時代があると聞いたことがある人も多いかもしれない。けれど、長い時間を台湾という麗しの島の上で暮らすうち、通婚の事例も増え、外省人3世、4世の時代となった現在では、対立はかなり緩和してきている。本省人系の友人たちも、「あの外省人の麺屋さんおいしいよね」などと、それを一つの特徴として捉えているように感じる。

過去に関係が悪かったこと、ひどい仕打ちを受けたこと。被害者側、加害者側それ

(上)アミ族の巴拉告体験。(下)公園にもジェンダーフリートイレがある。

ぞれにしか分からないことがあるはずだ。さまざまなバックグラウンドを抱えながら、今同じ台湾で暮らす若者たちは、相手にとって大切な感情を尊重しながら付き合う術を、自然と身につけてきたのではないだろうか。

台湾人は対話が上手だなと思うのは、利害関係の異なる人々が、お互いにとっての「これだけは譲れない」を探り、「大まかな合意」を取り付けることができるからだ。

以前オードリー・タンさんのオフィスを訪ねた時、スタッフたちは「自然保護区である国家公園のエリア内で、原住民族はもともと狩猟を行う文化があった。だが、それは現行法に抵触してしまう。ここから法律をどのようにクリアにすればいいか」について話し合っているところだった。「白タクは違法」として日本では合法になり得なかった「Uber」も、台湾では利害関係者らによる話し合いによって合法化を実現した。

政府も民間も、台湾はこれからも多様性を保ちながらも民主的な社会を作ろうとするだろう。私はそんな彼らを日々目にすることができて、本当に勉強になるし、ワクワクする。

台湾人がよく使う言葉

「沒關係（大丈夫）」——スルー能力がとにかく高い

私はよく、「台湾人はどうしてこんなにスルー能力が高いんだ！」と感動する。

長男がまだ生後6ヶ月だった頃、私は彼を連れて台湾のデジタルマーケティング企業で働き始めたというのは「はじめに」にも書いたとおり。いわゆる「子連れ出勤」というやつだ。当時は社員が10人にも満たない小さい会社で、社長夫婦にも同じ月齢の子どもがいるから、会計アシスタントの女性に一緒に面倒を見てもらうという形で、赤ちゃんたちが過ごす部屋を会社内に準備した。

それでも仕事中には泣き声が聞こえてくるし（私を求めてドアにへばり付く息子の泣き顔がドアのすりガラスから見えるのは、まるでホラー映画のようだった）、休み時間には赤ちゃんたちがそこら中をハイハイしていると、日本では考えられないような状況だった。周囲には申し訳なくて仕方なかったけれど、皆は口々にこう言うのだ。

「没關係（大丈夫）」

台湾人はつくづく「実を取る」人たちだなぁと思う。要は、その人がやるべきことをやってさえいれば、他はあまり気にしないのだ。

バスでよくあるのが、運転手のトイレ休憩だ。彼らはバス停近くのビルに行きつけのトイレを持っていて、彼らなりのタイミングで停車するとこう言い残し、足早にビルの中へと去っていく。

「トイレに行くので停車します。ちょっと時間がかかるから、急いでいる人は次のバスに乗ってください。ここにあるカードを渡せば運賃は余計に取られません」

すると、乗客たちは素直にカードを受け取って下車し、次のバスへと移動していく。

ある時、バス停でもないところでバスが停車したので何かと思ったら、運転手がダッシュで飛び出して行き、家族からお弁当を受け取っていた。乗客は皆チラッと視線を移したりはするが、特に何も反応しない。

さすがにデパートの店内で従業員がお弁当を食べるのは禁止されているようだが、皆タピオカドリンクくらいは飲んでいるし、一般的な商店だと、お弁当を食べながら店番するのは当たり前だ。

ちなみに、マッサージ店を経営しているセラピストからは、客たちは施術中に当たり前のようにおならをすると聞いた。生理現象なのだから、出ても当然というわけだ。

この「沒關係」という言葉、言われて助けられるだけでなく、誰かに対して言えるようになると、なんだか自分に余裕ができたようで嬉しくなるから不思議だ。

バスの中は運転手さんの趣味の世界になることも。(上)観葉植物を育てている。(下)ぬいぐるみが好きな様子。

なお、スルー能力の高さはうらやましくもあるが、日本人の粘り強さも、個人的には素晴らしいと思う。台湾人は、何かを聞かれるとすぐに「没辦法（メイバンファ）（仕方がない、どうしようもない）」と言う。でも、「台湾人の没辦法」は、そのまま信じてはならない。そこには必ず「辦法（バンファ）（対処する方法）」がある。粘りすぎても嫌がられるけれど、本当に必要だと思う時にはしっかり交渉して良いのだと、私は思っている。

良くも悪くも「差不多（大体、ざっくり）」

台湾で暮らしていると、頻繁に耳にする言葉のひとつが「差不多（チャーブードー）」だ。「差が多くない」という字面の通り、「大体」とか「ざっくり」といった意味を持つこの言葉には、助けられる時もあれば、苦しめられる時もある。

まず挙げられるのが、約束時間だろう。

ビジネスマナーで驚いたのが、台湾では「時間ぴったりに訪問するのはあまり好まれない」ということだった。私は、企業を訪問する際には約束の時間の15分前にはビルの1階で待機しておき、会議が始まる5分前になったら訪問するようなバリバリの純ドメスティック日本人なので、これは衝撃だった。良かれと思ってしたことが、相手にとって迷惑になるのなら改めなければならない。

聞けば「日本人は会議の始まりの時間に対してはこだわるのに、終わりの時間は全く守ってくれない」と思われているらしい。これは耳が痛い。台湾人的には、約束の時間ぴったりか、5分過ぎたくらいがちょうど良いらしい。もっとも、日本人慣れした台湾人はその辺りの文化の差は了解済みなので、相手次第ではあるのだけれど。

「差不多」に関して、私が最も気をつけなければならないと思っているのは、そう、納期だ。東京の出版社で働いていた頃、スケジュールを「何月何日の何時何分」という単位で約束していた私にとって、台湾で働き始めた時のカルチャーギャップは大きかった。当然のように締め切りは無視され、さまざまな理由で後ろ倒しされていく。

一度、部下に締め切り期日になっても全く仕事が終わっていない理由を訊いたら、

「ヤエさんの台湾華語が何を言っているかよく分からなかったから、今日が締め切りだと知らなかった」

と言われたこともある。悔しいが、台湾華語が下手なのはまぎれもない事実。以降はホワイトボードを用いて解説し、その写真を撮って証拠を残すようにした。

ちなみに台湾には「台風休暇」というものがあり、台風が接近すると、その被害を

予測した政府が学校や企業に対して「台風休暇」を要請する。そうなるとスケジュールはどんどん遅れていくのだが、巻き返そうとするのはスケジュールを守れないと評価に影響する管理職メンバーだけで、その他のスタッフたちは台風休暇を存分に謳歌する。台風が近づくと、まるでお祭りのように皆ソワソワとニュース速報をチェックし始める。

スケジュールを守ることが当然の日本人にはしっくりこないかもしれないが、私も実は子どもの頃から、台風で交通機関が麻痺しているなか、ものすごい時間をかけてずぶ濡れになりながら学校や会社に行かなければならないことに対し、強烈に疑問を感じていた。台風休暇を取って多少スケジュールが遅れたとしても、学業も経済活動もなんとかなると台湾は証明できているのだから、「差不多」もあながち悪いものではないのかもしれない。

そしてご想像通り、プライベートの約束になると、もっともっとルーズになる。ママ友たちとの約束は、たいてい当日の朝。「じゃあ午後から遊ぼうか」と連絡して、各自昼食を食べ終えた頃になってやっと「お昼食べ終わった?」「あと1時間くらいしたら家を出られる」などと連絡を取り始める。このゆるさは最高で、一度ハマるともう抜け出せない。相手がどのくらい遅れてくるかを予想しながら動けるようになると、我ながらおばちゃんとしての熟練度が増してきたように感じるから面白い。

お互いに「關心（気にかける）」し合う

政府の啓発ポスターなどで、「關心（グァンシン）（気にかける）」という言葉をよく目にする。日本語表記だと「関心」となり、台湾では「私たちはあなたのことを気にかけています」といった形で使われる。これは台湾人にとって、思いやりを表現する方法なのだろう。言語の不自由なシングルマザーとして奮闘していた私を、たくさんの台湾人が気にかけてくれた。

ある知り合いのおばちゃんは、娘さんの結婚式に私たち親子を招待してくれた（台湾の結婚式は新郎新婦よりもその親が招待客を決めることが多い）。そして、披露宴会場でそっと私に耳打ちした。

「ヤエさん、娘が働いている会社の社長はとってもいい人だから、後で紹介するね」

そして、本当に紹介されたのだが、相手の社長さんは見るからに私よりもずっと年下で、ちょっと気まずそうにしているではないか！　こちらは年上の外国人というだけでなく、子連れなのだから当然だ。本当に申し訳なくなって、ビジネスライクに名刺を交換し、なんとかその場を凌いだ。あたふたしたけれど、おばちゃんの私たち親子を想う気持ちには心が温かくなった。

気にかけてくれたのはおばちゃんだけではない。私より一回り以上年下で、仲良くしていた同僚女性も、まさかの行動に出たことがあった。ある時、

「昨日、彼氏とコストコに買い物に行ったら、すごく良さそうな人に会ったの！　私たちがパン売り場で『買いたいけど量が多いよね』って話してたら、『良かったら僕と一緒に買ってシェアしませんか』って言われて話したんだけど、とても感じが良い人だったの。ヤエさんと年も同じくらいだったから、連絡先聞いてきたよ！」

と、メモをくれた。すごい行動力だ。こんなに若い彼女にここまで気にかけてもらって、なんてありがたいことだろう。でも、私はこれからどうすれば良いのだろう。

「あ、もしもし、すみません。昨日同僚がコストコでパンを一緒に買ったようでして……お茶でもどうですか？　ちなみに私は子連れなんですけど……」と電話をすれば良いのだろうか？　いや、どう考えても無理だ。頭の中でそんな想像をしながらおか

しくて笑えてくる。そして、また心が温かくなった。

タクシー、公園、食堂で食事をしている時……あらゆるシチュエーションで出会う、見知らぬおばちゃん及びその予備軍たちから、「袖振り合うも多生の縁」よろしく「關心」してもらってきた。行きすぎると「鶏おばちゃん」になってしまうのだろうけれど、「互いに無関心」な社会より、よっぽど居心地が良いと私には思えるのだ。

「EQ高い」が褒め言葉

日本で人を褒める時によく使う言葉というと、どんなものがあるだろう。「気遣いができる」とか「上品でスマート」といったところだろうか。私が台湾の企業で働いたり、ママ友たちとおしゃべりしたりする中でよく使われているのが「高EQ」だ。「EQ（心の知能指数）が高い」という意味で、ニュースの見出しやSNSなどでもよく使われる。

EXILEのAKIRAさんと結婚した台湾の大人気女優・林志玲（リンチーリン）さんは、EQが高い女性の代表格で、インターネット上には彼女に関する「高EQの発言集」といった記事を多く見かけるほどだ。結婚が発表されてからしばらくの間、メディアは今か今かと妊娠についてしつこく言及しており、彼女が一度フラットシューズを履いただけで「ついに妊娠か？」と報道した。

普通なら不機嫌になってもおかしくないようなこの状況で、林志玲さんはInstagramに大きなお椀によそった白米を食べる自分の写真とともに「太ったかな？これからは一杯しか食べられない」という言葉を添えて、ユーモアたっぷりの投稿をした。ファンたちからは「可愛い！」「超ＥＱ高い」といったコメントが多数寄せられていた。この余裕は見習いたいものだ。

「ＥＱ」の概念は、職場の人間関係にもよく使われる。皆の前で部下のミスを叱っている上司を見ながら同僚がこっそり教えてくれたのが、

「台湾人はメンツを非常に大切にするから、人前で誰かのことを罵るのは、『その人のメンツを立てていない』とみなされるんですよ。叱られている側がどんなに大きなミスをしたとしても、みんなは『人前で怒るなんて、あの上司はＥＱが低い』と感じます」

ということだった。

確かに、「自分の感情をコントロールできないような上司は尊敬できない」と考えるのは、ごく自然なことにも思える。これが、私が「台湾人はＩＱよりもＥＱを大切にする」と感じる所以だ。世代や人にもよるので一概には言えないが、台湾には「お金や名声」よりも、「心」などの実質的なものを大切にする人が多いように思える。そしてそれは、すぐそばにある大国が「人口や経済の規模」で迫ってくることへの抗いのようにも見えるのだ。

一方で、日本はなかなかどうして、ＩＱが重視される社会であるようだ。

私がオードリー・タンさんについての本を出版したり、メディアに出演・寄稿するにあたり、日本のメディアはこぞって「ＩＱ１８０の天才大臣」という見出しを付けようとした。オードリーさんを知る人からすれば、彼女の最大の魅力がＩＱでないことは明白だし、オードリーさん本人も「大人になってからのＩＱ値には意味がない」と公言している。

原稿確認で編集部が「ＩＱ１８０」と書いたものを、オードリーさん本人が「身長１８０」に訂正してくるほどだ。

「四捨五入せずともぴったり１８０なのです」

と、茶目っ気たっぷりに言うオードリーさんもまた、ＥＱが高い人物である。

拙著『オードリー・タンの思考　ＩＱよりも大切なこと』（ブックマン社）のインタビューでこうした日本の事情を話し、「台湾でＥＱが重視されるのはなぜなのか」と訊いてみると、オードリーさんはこう答えた。

「私たちは、挫折や対立を経験した時、どのように自分の心をケアすれば良いのかを非常に重視しています。台湾は人口密度がとても高いので、これは必須スキルなのです」

それまでの私は「ＥＱ」を一種の対人スキルのようなものだと思っていたが、なるほど自分の心を守るために発揮するという捉え方もあるのか、とその斬新さに思わず唸ってしまった。ぜひともＥＱの高いおばちゃんを目指したいものだ。

あけすけでパワフルな処世術

遠慮なく買い物を頼む

「台湾人はたくましいな〜」と思うのが、彼らの「ダメもとでも一度は頼んでみる」精神だ。特におばちゃんはずば抜けて強い。

中でも日本人の私が多く頼まれるのが、日本での買い物だ。「日本での買い物代行」は専門業者もあるが、一般台湾人の間でも割の良いお小遣い稼ぎとしてずっと存続していて、電子レンジや炊飯器などの家電から、薬品やコスメなど、その範囲は多岐にわたる。シングルマザーで生活が苦しかった頃には、台湾人の友人から「ヤエコもやればいいのに。稼げるよ！」と言われていた。

仕事として代行したことはないけれど、薬品類を買ってきてほしいと頼まれることは本当に多い。しかし、これがまた常識の範囲を軽く飛び越えているというか、「ユースキン10個」とか、「胃腸薬5箱」とか、そういった単位なのだ。「あなたに無理のない範囲でいいから、できるだけ多く」という要望を受けた時には、どう返事するか一瞬迷ってしまった。

台湾でも手に入るものが多いのだが、私に頼めば日本での販売価格で送料もかからずに買ってきてもらえるので、当然ながらとってもお得なのだ。それだけの理由で気軽に、悪気なくお願いする。「お互いさま」精神で頼み／頼まれ合う、それが台湾人の距離感だ。きっと多くの在台邦人が同じような経験をしていることとお察しする。

私がこれまで最も大変だったものといえば、長男のシッターさんから頼まれたエスプレッソマシーンだ。とても重かったし、場所も取るし、ガラス面があるからパッキングも大変で、実家の家族に手伝ってもらいながら、慎重に荷造りした。正直「それでなくても荷物の多い子連れに、これを頼むか……」と思わずにはいられなかったけれど、普段長男が大変お世話になっているので、少しでもその恩に報いたいとの気持ちで台湾に持ち帰った。

自分で持ち帰りはしなかったけれど、インターネット上での買い物を代行したこともある。何十万円もするキャンプ道具だ。「日本のメーカーのものを買いたいけれど、日本語ができないから代わりにやり取りしてほしい」と頼まれた。シングルマザー時代にプライベートで何年もお世話になっている人だったので、信頼できると思って代行した。自分ではそんな高額な買い物をすることはほとんどないから緊張したけれど、私が立て替えた分の日本円をニュー台湾ドルに換算して金額を伝えたら、それより多めの額を振り込んでくれた。これが台湾人の買い物の仕方なのだろう。それでもやはり、今後はあまりやりたくないのだが。

悪気なくストレートな物言い

日本のように周囲に気を遣わなくていい代わりに、台湾の——特におばちゃん界隈では——コミュニケーションが直球ストレートだ。最近の私は、コロナ禍と執筆ラッシュのおかげですっかり体重を増やしてしまったのだが、久しぶりに会ったママ友から、会った瞬間に、

「ヤエコ。あなたは太ったの、それとも妊娠したの？」

と、真顔で言われた。普通そこは「久しぶり〜！」とかじゃないの？　と思ったが、台湾人はいつでも悪気なしにストレートだ。ショップで洋服を見ている時も、店員さんから、

「あなたにそれは似合わない。こっちの方が顔色が明るく見えるね」

「その服は太って見えるからやめた方がいい」

などと、バッサリ斬られる。これぱっかりは今でも慣れず、ちょうど良い距離感で接客してもらえる日本の方が落ち着くので、台湾で洋服を買うことはほとんどない。

一番ショックだったのは、盲腸と腹膜炎を併発し、緊急手術が必要になった時のことだ。私は日本で働いていた頃から何度も盲腸になっていて、その度に薬で散らして凌いでいた。そして何より、病院や血、注射というものが大の苦手だ。だから、救急外来ですぐ手術しようと言われた時にも、

「日本では薬で散らすんです。現代の医療では手術は必要ないというのが通説なんです！」と涙ながらに訴えたのだが、同じく救急外来で隣のベッドに運ばれてきたやんちゃな感じのおじさんから、

「うるさい！」

と怒鳴られ、その怖さに泣く泣く手術を受けることになってしまった。診察室で当直医から手術についての説明を受けた時、医者は、

「手術のために、お腹に穴を開ける必要があります。大きな穴を一つにするか、小さ

な穴を3つにするか、選んでください」

と言う。私は、

「先生、本当に手術が必要なのでしょうか。日本では盲腸は薬で散らすんです。私はこれまでに何度もそうしてきたんです……」

と、ダメもとで訊いてみた。すると医者は、

「お母さん、あなたはもう子どもを産んだのだし、水着になる時にちょっと穴の跡があるくらいなら、気にならないんじゃないですか。小さい穴3つでいいですね?」

と、なんとも雑に返すではないか。いつもなら喧嘩上等で言い返すところ、深夜だし、検査疲れで精神力もなくなっていた私は、半ばやけになって手術をし、お腹に3つの穴を開けたのだった。聞けばその医者は韓国人で、台湾に出稼ぎで来ているとのことだった。全身麻酔のせいだろうか、「韓国は医者が稼げなくてね……」と彼がこぼしていたところで、私の記憶は止まっている。

　言葉がストレートなのは台湾人だけではないのかもしれない。でも、少なくとも台湾人はストレートだ。そして私は、そんなあけすけな態度で言葉が交わせる関係が心地いい。

「給料いくら？」「家賃いくら？」初対面でも訊く

おばちゃんだけではない。私と同年代かそれより上の世代の台湾人は、初対面であっても、「あなた給料いくらもらってるの？」「住んでいる家は買ったもの？　賃貸なら、家賃いくら？」と訊いてくる。日本ではなかなかないと思うのだが、私が日本人だということもあって好奇心が湧くのか、タクシーの運転手から友人知人まで、あまりにも日常的によく訊かれるので、私もすっかり慣れてしまった。

慣れると何も悪いことばかりではない。自分が答えれば相手に訊き返すこともできるので、なかなか面白い情報交換になる。給与だったら「この業界の給与は年々上がっているな」「コロナ禍で厳しいとされていた業界だけど、こんなところに成長している事業があるのか」と勉強になるし、その人がその給与に対して不満を持っているのか、それともまあまあ納得しているのかといった感情も感じ取ることができる。給与に不満を持っている時、その人が次にどういう行動を思い描いているのか、競合に転職するつもりはあるのかなど、かなり深いところまでおしゃべりすることができる。情報源としてはエビデンスに欠けるものの、ちょっと小耳に入れた情報として、そこそこ参考になるのだ。

家賃に関する情報は、より切実に役に立つ。今台湾は異常とまでいえる不動産価格の高騰で、不動産業の販売総額は10年前に比べて2・25倍にまで膨らんでいる。[※] その影響もあってか、そもそも強かった大家がますます立場を強め、契約期間内であっても急に家やオフィスを出ていかなければならなくなった人や企業が後を絶たない。それによってコロナ禍では多くの老舗料理店が長い歴史に幕を閉じることになってしまった。賃貸暮らしをしている私にとっても、不動産の相場情報は明日の自分や家族の身を守るためにとても重要なものだ。

政権によって法律や制度がコロコロと変わる台湾で暮らしていると、不動産を持つことによって、家族や事業を守ることができるのだと感じさせられる。多くの台湾人が当然のように不動産投資に夢中になるのも、無理はないのかもしれない。少なくとも、これまでの時代においては。

※信義房屋集計によれば、2011年度の販売総額は約8272億元、2021年度は約1兆8560億元。

アイス店の隣にアイス店が並ぶ。その中間に抜け目なく出店するワッフル店。

マネされるのは仕方ない

台湾に来て面白いなと思ったのは、街のあちこちにさまざまな「専門街」ができていることだ。私の家の近所だけでも、「お粥ストリート」「ペットストリート」などがある。一つ人気店ができると、その隣に同じ業態の店がポコンとできるのだ。彼らの狙いは、人気店が休みだった時、行列で入れない時、流れてくる客の受け皿となること。一度客が入ればしめたもの。通りすがりの人が外から店内を眺め、客が入っているのを見て「この店も悪くないのかもしれない」とホイホイ釣れるからだ。そうしたコバンザメ商法を実践する店は次第に増えていき、そこはちょっとした専門街と化す。人々は、

「あそこの○○ストリートにでも行ってみようか？　行きたいお店が定休日でも、他の店はやっているだろうから、ぶらぶら見て歩くだけでも楽しそう」

となる。海外からの観光客も吸い寄せられ、結果的に客足が途絶えなくなるから、マネされた方も「仕方なし」と思うようなのだ。

商売人魂のカケラも持ち合わせていない私などは今でもギョッとしてしまうのだが、台湾人は本当に悪気なく人の商売のマネをする。私の友人たちもよく、うまくいった事業をすぐ競合他社にマネされているのだが、苦虫を噛み潰したような面持ちで、「まあ、仕方ないよ。私たちは私たちで前進して行くしかない！」と言っている。私より年下の子たちですらそんな感じなので、このレースをゲーム感覚で楽しめる者だけが、台湾で商売し続けられるのかもしれない。

「お得感がある」ことが大事

台湾人が大好きな言葉に、「划算（ファースゥアン）」というものがある。「お得感がある」といった意味だ。

日本人と台湾人との買い物の仕方に面白い違いがあると思ったのは、私が台湾でブライダルフォトのポータルサイトを運営していた時のことだ。台湾はブライダルフォトが盛んで、プロのフォトグラファーによるロケーション撮影（屋外へロケに出かけて行う撮影）を行い、修正技術を駆使して、夢のようにロマンティックな写真を創作する。アルバムを作ると同時に、お気に入りの一枚を大きく引き伸ばし、結婚披露宴会場や自宅の寝室に飾ったりもする。

過去に調べた情報によると、台湾は人口に対するフォトグラファーの割合が世界でもトップクラスに高く、競争が激しいために世界では類を見ないほど相場が安いのだそうだ。香港は逆にフォトグラファーが少なくて相場が高いため、香港人たちは台湾に飛んで来て、旅行がてらブライダルフォトを撮ったりもする。

台湾人の日本旅行好きは広く知られるところだが、日本でブライダルフォトを撮影したいという台湾人も多く、京都や北海道、沖縄など、日本各地で撮影が行われている。ポータルサイトの運営を通して台湾のブライダルフォト業界のトップフォトグラファーたちと知り合ったが、彼らは桜の季節になると毎年撮影チームたちと京都に滞在し、その撮影枠を、前年のうちに予約販売する。客は新婚とは限らず、「このフォトグラファーにこんな風に撮ってもらいたい」というカップルが殺到してすぐに売り切れてしまうそうだ。

彼らは毎年現地で撮影をしているから、自分たちのお気に入りスポットを知り尽くしている。定番スポットでは、他の台湾人フォトグラファーとよく遭遇するらしい。機材の不調があったりすると、貸し借りすることもあるそうだ。技術と信頼、チームワークと人脈で稼いでいる彼らは、本当にかっこいい。

ちなみに多くの場合、フォトグラファーの妻はブライダル専門のヘアメイクで、チームとして一緒に動いている。

「お得感」に話を戻そう。日本のブライダルフォトは、基本的に客が「したいこと」を追加するごとに料金が上乗せされる「オプション形式」が採用されている。パンフレットには「20万円から」などと最低料金が記載されているものの、オプションを追加していくと、どんどん価格が吊り上がってしまう。

一方、台湾では〝だいたいみんなが必要とするであろうもの〟が丸ごとセットになった「パッケージ形式」が採用されている。「あれもこれもぜーんぶ入って20万円!」という状態なので、そこから大幅に価格が上がることはない。さらに、「ドレスは自分たちで用意して持って行きます」という場合はパッケージ価格から値引きされるので、お得感があるのだ。

台湾の激しい競争の中で研ぎ澄まされた、お得感のあるパッケージは最強だと思う。「こんなところで撮っていいの?」と気分のアガるロケーション（日本人に人気の観光スポット・九份でも撮影できる）、フォトグラファーやメイクによって引き出される、普段の自分とは全く異なる表情。何十着もの中から選べる衣装……撮影したデータも何十枚とか、時には全てをDVDに焼いて納品してもらえたりする。挙式披露宴のおまけではない、「ブライダルフォト」という産業がしっかりと存在する、台湾ならではの骨太なサービスだ。もし興味があれば、台湾旅行の際に、ブライダル写真やロケーション撮影を試してみてほしい。きっと、ものすごい満足感が得られると思う。

と、まるで業界の回し者のように前のめりになってしまったが、私は再婚した台湾人夫と披露宴はおろか、ブライダルフォト撮影さえもまだしていない。でも、結婚して何年経っても撮れるのが台湾のブライダルフォトのいいところ。折を見て私も子連れブライダルフォトを撮りたいと思っている。

自分軸の仕事観

「石の上にも三年」は皆無

キャリアというテーマは、個人的にも興味がある。日本で女性向けの雑誌やウェブメディアの編集者をしていた頃にはキャリア系の特集をよく担当していたし、台湾では「リクルートサイト」と呼ばれる企業の求人用ウェブサイトの制作を請け負っていたこともあって、さまざまな業種でキャリア系のインタビューを多く実施した。また、会社では自分の部署を持っていたこともあって、求職者の面接や部下の評価面談も大事な仕事だったから、台湾人のキャリア観にもそれなりに触れることができたように思う。

そこで思うのは、一般的な台湾人にとって「石の上にも三年」という考え方は皆無なのだろうということだ。専門職だったり、待遇が良かったり、家族や知人が経営しているなどといった事情がない限り、ほとんどの台湾人が、数年間だけ在職してキャリアや経験を積み、それを糧に転職しようとする。目的はただ一つ、転職時により待遇の良いポジションを得たり、経験が積める役職につくためだ。

以前勤めていた台湾企業で、入社してきたばかりの他部門の責任者とおしゃべりしていた時に、

「この会社には、いてもあと1～2年かな」

と彼から言われて、驚いたことがあった。

「え、でもまだ入社してきたばかりだよね？」

と言うと、

「もしかしたら日本とは慣習が違うのかもしれないけど、台湾では一つの会社に長く勤続していると、『その会社やポジションにしがみついている』と思われる傾向があるんだよ。2～3年で転職しながら自分の価値を高めていくのが普通なんだ」

と話してくれた。もしかすると、私が勤めていた会社がＩＴ系だったのもあるかもしれないが、同僚たちもだいたい同じような感じで転職していった。私自身は編集者やデザイナー、エンジニアたちと働くことが多く、手に職系の彼らはどうしても企業に所属せず、独立したくなる。案件の内容も費用も自分で交渉できるし、何より会社に

縛られることがないからだ。

「とりあえず独立してみて、ダメだったらまたどこかで働けばいい」

そう考えている手に職系の人材は、独立した後のことを考えながら仕事しているから、向上心があるので頼もしかった。

もちろん、一つの会社で長く働いている台湾人も数多くいる。ただ、「石の上にも三年」というよりは、「仕事内容や環境が良いから」というパターンが多い。

台湾に来るまでは、時間も労力も会社に全てを捧げがちな私だったが、台湾に来てからはスタンスが大きく変わり、自分に対しても他者に対しても、「長く勤め続けることだけに価値があるわけではない」と考えるようになった。

それと、台湾では経営者がとても尊敬されている。会社に対する不平不満があるのが会社員の常かもしれないが、自分の責任で会社を経営している人は、不平不満を言うことができない。もちろん、やりたいこと／やりたくないことを自分で決められるという自由さは持っているが、失敗しても成功しても、自分でその責任を取っているからだ。口先だけでなく、行動が伴っている人を、台湾人は評価する。

オードリー・タンさんを政府に引き入れた元大臣、ジャクリーン・ツァイ（蔡玉玲）さんにインタビューした時、彼女はこう言っていた。

「台湾は自由な場所です。台湾の会社のうち、97％以上が中小企業なんです。起業は台湾のDNAといって良いでしょう。私の両親も国際貿易の会社を起業していますし、私は法律事務所を創立、私の長男はVRの会社を起業しました」

規模は比べものにならないほど小さいけれど、私も台湾で起業している。「やってみて、やりながら考えればいい。ダメになったらすぐに畳めばいい」——周囲がみんなそんな感覚だから、私もうっかり感化されてしまった。そう、まさに「起業は台湾のDNA」だ。

採用面接は驚きの連続

台湾の採用面接もかなり面白い。

まず、求職者が履歴書に貼る写真からして自由だ。中途採用の場合はたいていスナップショットだ。私が雇った部下の中には、台湾で行われた『ちびまる子ちゃん』関連のイベントで撮ったと思われる、等身大のちびまる子ちゃん人形とのツーショット写真を貼って送ってきた女性がいた。しかも本人は笑顔でピースまでしている。採用後、「そういえば、どうしてあの写真にしたの？」と訊いたことがあったが、彼女はなんと、

「上司が日本人だから、日本に関連した写真がいいかと思った」

と答えた。まさか、あれが彼女の気遣いによるものだったとは。

ちなみに、卒業してまもない若者の場合、大学卒業の時にアカデミックドレスを着て撮影した証明写真が添えられてくることが多く、そこに個性を見出すのはなかなか難しい。

面接に関しては、きっとどの職場にもたくさんのエピソードがあると思う。私が聞いたことがあるだけでも、雨だからとドタキャンされた、面接に母親がついてきた（しかも質問までするというのだから、さすが台湾のおばちゃん、最強だ）、志望動機を訊いたら「求人サイトに載っていたから」と返されたなどなど、笑うしかないようなものばかりだ。正社員でこれなのだから、アルバイトの面接などはもっとすごいことになっているのだろう。

新卒から親に仕送り

台湾の新卒の平均初任給は3万2000元（労働部2021年度発表。約16万円に相当）と、決して高くはない。それでも同僚たちの多くが新卒で働き始めると同時に親に仕送りをし始めることに、とても驚いた。彼らは普段から質素に暮らしているうえ、毎月数千円だけでも仕送りしているという。

さらに、地方で暮らしている親が病気で手術したり入院したりするとなると、毎週末に何時間もかけて帰っては、世話をしたり家事を手伝ったりしている。そんな彼らを見て、筋金入りの親不孝な自分は、胸が痛くなるのだった。

台湾のお正月「春節」には親戚一同が集まり、大人が子どもに「紅包（ホンバオ）」と呼ばれるお年玉を包み合う。生まれたばかりの子どもにも包み、その親に渡す。子どもたちはたくさんの紅包をもらって大喜びなのだが、私はまだ社会に出たばかりの若者の収入を考えると、彼らから紅包をもらうのは気が引けて仕方ない。それでも台湾では社会人になったら誰もが包まなければならないらしく、皆が口を揃えて、「自分が子どもの頃もそうだったから、これはお互いさまなんだよ」と言う。

そんな事情もあって、春節に会社からボーナスが出るかどうか、いくら出るかは、非常に重要になる。皆が故郷に帰って紅包を振る舞わなければならないからだ。包む額が多ければ親戚一同の中でメンツが立つし、包めないとなればメンツ丸潰れだ。だから皆、「仕事で多少嫌なことがあっても、ボーナスをもらってから辞めよう」と考える。逆に経営者にとっての春節は、忘年会をしたりボーナスを払ったりと出費がかさむ季節でもあり、さらにボーナスを払った後に会社を辞めるスタッフが出るという、危険な時期でもある。誰にいくらボーナスを出すかは、経営者の腕の見せ所だ。

台湾人は本当に家族や親族といった「ファミリー」を重んじる。けれど家族との結びつきが強い分、しがらみに苦しんだりもする。日本はしがらみから遠ざかろうと核家族化が進んでいるようにも見えるし、どちらが良いとか悪いといった話ではない。ただ、個人的には台湾人の親孝行ぶりは見習いたいと思うところである。

忘年会や社員旅行は家族同伴！

家族のつながりが強く、家族経営の中小企業が多いからか、台湾の企業が開く忘年会や社員旅行は家族を同伴できるケースも少なくない。私も、台湾人夫が勤める会社の忘年会に子連れで出席させていただいている。

台湾の忘年会は本当にバラエティ豊かで、大企業になると社員がチームを作って出し物を競い合ったりする。衣装は業者からレンタルするし、忘年会時期になると、ダンスの先生を外部から招いて練習する企業もあるほどの気合の入れようだ。大企業になると芸能人が登場したり、「大抽選会」で豪華景品を当てようと大いに盛り上がるあたりは、日本と同じだ。

また、社員旅行に家族を連れて行くというのにも驚いた。これは行き先が台湾国内か海外かにもよるが、家族分も会社が出してくれる場合もあれば、家族分は自費とか、何割負担とか、会社と折半などとさまざまだ。以前、社員旅行でバリ島に行った際には、他にも台湾の言葉を話す人たちが大勢いると思ったら、それは台湾の保険会社の社員旅行だった。皆が家族連れだったので、それこそ数十人規模で滞在していた。

さらにすごいなと思うのは、台湾人の中には、海外出張にも家族や恋人を同行させようとする強者もいるということだ。せっかく海外出張に行くのだからと、前後の日程の滞在費を自分で支払うなどして、多めに滞在しようとする。「台湾は狭いから」と台湾人は言うが、好奇心旺盛な台湾人は根っからの旅行好きなのだ。

フェアであることを大切にする

台湾には「有錢就是任性（お金持ちはなんでも思い通りになる）」という表現がある。大富豪が堂々と愛人と交際したり、悪事をもみ消していたことが明るみになった際などに使われる。中華圏で暮らしていると、つくづく「お金持ちは何でもありだな……」と思わされることも多い。

ところが、知り合いの企業経営者が興味深いことを言っていた。私が「台湾には女性社長も多く、実力があれば登用されるのが素晴らしいと思う」と言うと、彼はこんなエピソードを話してくれた。

「あぁ、X（一族経営の大企業）なんかもそうだね。あの女性社長は経営の才覚があるから家業を継いで、婿さんを迎えたんだ。でも、その婿さんが愛人を作ったんだよね。愛人を作るのはいいけど、それならその家はもちろん、会社からも出ていけってことになって、結局は愛人にも逃げられちゃったみたいだよ」

私は「家でも会社でも居場所がなくなるから、出ていかなければならなくなったのかな？」と思ったが、彼の解釈は違ったらしい。

「彼は結婚してお金持ちになったことで愛人ができたわけで、それは彼自身の力で得たものじゃないからね。女性社長ではなくて愛人と一緒にいたいなら、会社を出るしかないよね」

解釈はさまざまだろうが、この知人経営者は「男だから」「女だから」ということではなく、「自分の力で成功したか」で評価する人なのだと感じた。もっとたくさんの人と話をして、価値観に触れたいと思わせてくれる出来事だった。

見切り発車でOK、やりながら考える

最近、長男の小学校からお菓子と清涼飲料水が買える自動販売機が姿を消した。

私が通っていた日本の小学校では、ジュースはもちろん、お菓子を学校で食べるなんてあり得ないことだったから、1年ほど前にこの自販機が設置され、児童たちが自分の学生証兼プリペイド式ICカード（交通機関やコンビニなどで使える）を使ってお菓子やジュースを買う姿を見かけた時には、「台湾の小学校はこんな自動販売機を置いてしまうのか、すごいな」と思っていた。

それが突然撤去されたのでどうしたのだろうと思っていたら、実は設置後に「学籍

番号などの個人情報を、ＩＣカードや自販機の業者が不正に取得しているのではないか」と争議が起こり、撤去されたのだった。日本だと、そうした議論が十分になされたうえで初めて設置されると思うのだが、台湾では学校でさえ見切り発車をする。

２０２１年に台湾で上映された『劇場版「鬼滅の刃」無限列車編』の映画も、チケットを買った後にＲ12指定されていることに気付き、子どもを連れて観るのは無理なのかな……とドキドキしていたところ、直前になってＲ６指定に変更されたらしく、そのまま問題なく観ることができた。

コロナ禍でも、政府の補助金や医療用マスク支給などの施策が見切り発車でスタートし、「外国人も税金を納めているのだから対象にすべきだ」といった社会からのフィードバックを取り入れる形でアップデートされていった。社会全体が「物事は思い立ったが吉日、始めてみてやりながら考えればいい」といった雰囲気なのだ。だからみんな本当に気軽に起業したり、プロジェクトを始めたりする。

あなたが懸命にやっていれば、自然と周囲は手を貸してくれる。私の時も助けてもらう。迷惑だなんて思わない、お互いさまなんだから。一緒に楽しみながら、とりあえず「やってみよう」。

第2章

とにかく「食」を大切にする

朝ごはんはお店で食べる

食べたらそのまま登校・通勤

台湾人は根っからの旅行好き。人口に対する出国率は72・5％という驚異的な数値を叩き出し、日本政府観光局の報告書には「台湾人にとって外国旅行は生活の一部と言える」と記載されるほど。

なかでも日本は大人気の旅行先で、訪日観光客のうち、台湾はここ5年以上、上位3位以内にランクインしている。観光・レジャー分野における訪日リピータートップは台湾で、日本を訪れる台湾人観光客の9割が訪日回数2回以上のリピーターだ。旅行消費額では中国に次いで第2位と、日本にとって大切なＶＩＰであるといっても過言ではないのが台湾人だ。

そんな彼らから口々に言われるのが、

「日本に行った時はいつも朝ごはんに困る。朝食店はないの？　日本人はみんなどうしているの？」
ということだ。私は日本の『&Premium』という雑誌で「台北の朝ごはん」というコラムの連載をかれこれ4年以上続けており、台湾の朝食文化の豊かさには、日々驚かされている。定番の豆乳と蛋餅（ダンピン）（ネギを加えたクレープ状の生地に卵など好きな具材を挟み、お好みでソースを付けていただく）、台湾式おにぎり「飯糰（ファントゥアン）」、スープなし麺「乾麺（ガンミエン）」、肉つみれのとろみスープ「肉羹（ロウゲン）」……例を挙げればきりがないほど、バラエティ豊かな朝食店が街の至るところにひしめきあっており、人々はその日の気分で朝食を選ぶことができる。

夕方まで営業している朝食店もあるが、稼いでいる店の多くは朝からお昼くらいまでの営業で、ランチタイムや午後からは別の店になったりもする。地方ごとにその特色も大きく異なるので、行く先々で台北とは違う朝食を食べるのもまた楽しい（ちなみに、台湾人は自分が暮らしている場所の朝食がいちばんおいしいと誇りを持っているから、もし身近に台湾人がいたら、おすすめを訊いてみてほしい。きっと熱く語ってくれるはずだ）。

どの朝食店もアツアツできたてを提供してくれるので、その場で掻きこむも良し、テイクアウトして職場のデスクで食べても良しといった感じで、とにかく便利だ。キッチンのない家に住む単身者も多いし、キッチンがあっても食材を買って作る方が割高だったりするから、外で食べる人が多いのだろう。

過去になかなか重いテーマの取材で朝8時頃に政府機関を訪れた際、広報担当者（おばちゃん）から「朝ごはんは食べましたか？　まだなら一緒に食べませんか？」と言われ、拍子抜けしたこともある。

なお、台湾では公立私立問わず、幼稚園でもお粥や中華まんといった「午前のおやつ」が提供され、それを子どもの朝ごはん代わりにする家庭が多い。家族で身支度を整えたらまずは子どもを幼稚園に送り、親はどこかで朝食を取ってから出社するのだ。朝の忙しい時間帯、朝ごはんを用意し、食べさせた後、こぼした食べかすを掃除しながら身支度を整えるのはなかなかハードなので、私自身もこのシステムにはとても助けられている。

日本側から「朝食を外で食べた後、歯磨きはどうするのか」と訊かれ、SNSで台湾人に向けて問いかけたことがある。すると、「朝の身支度を整える際に歯磨きを済ませているから、外で朝食を済ませた後、特に歯磨きはしない」という人が大半であった。味の濃いものや歯に詰まるものを食べた時だけ、「職場の化粧室で口をゆすぐ」「携帯している歯間ブラシで掃除する」ということだった（でも私は知っている。台湾人には「水を飲む時についでに軽く口をゆすぎ、そのまま飲む」人が多いことを）。

4年以上にわたって毎月朝食店を取材したり、取材のためのリサーチを重ねるなかで、さまざまな台湾人の朝食を横目で眺めてきた。慣れた様子で席に座っている、出

（上）シンプルだけど病みつきになる乾麵。（下）お宮の境内でも朝食が取れる。

勤前の親と学校に行く前の子ども。登校前に待ち合わせて朝食を共にする高校生たち。休日にいつもよりちょっといい朝食を楽しもうと、人気店に行列する若者たち。一日の始まりを幸せに過ごそうと皆が集う朝食は、私にとって最も輝いて見える食卓だ。

私の台湾人夫は、小学4年生の時に両親が離婚し、父親の手一つで育てられてきた。忙しい父親は小学生の彼に朝食代を渡し、彼は一人で近所の朝食店に通っていたという。それを聞いた当初は「寂しかったのかな」と思った私であったが、彼に言わせると、

「その時だけは自分が好きなものを食べられるから、実は毎朝楽しみだった」

とのこと。なるほど、そういう朝食もあるのだ。

台湾の朝食店は、往々にして街に開かれたような作りをしていることが多い。道に沿った店先部分が調理台で、その奥が店内といった形だ。それは単に調理台が外にある方が煙が店内に充満しないとか、冷房の効いた店内にお客を通すことができるといった利点からなのだろうが、私はその、店と道路の境界線が曖昧であることに魅力を感じている。いつも街からはおいしい匂いがして、朝食店で働く人々の視線は道ゆく

人に向けられている。通行人がヒョイっと店に入ると、

「いつもの？」

と訊かれるような人と人との距離感だ。

台湾で「こんにちは」の挨拶は、「吃飽了嗎(チーバオラマ)？（ご飯食べた？）」と表現することが多い。相手を気遣う時に、「ご飯だけはしっかり食べなよ」と表現するのが台湾流というわけだ。私には、そんなカルチャーを体現しているのが朝食店であるように思えてならない。

昼食とお昼寝はセット

昼休み、職場は消灯

東京の出版社でがむしゃらに働いていた私が台湾に来て驚いたのは、みんなが本当に「無理をしない」ということだった。

就業時間ひとつとっても、ぴったりに出社する人はほとんどおらず、5分10分の遅刻は当たり前。悪びれる様子もなく、出勤の道すがらテイクアウトしてきたと思しき朝ごはんをビニール袋から取り出し、食べ始める。

「え？　遅刻しておきながら朝ごはんは食べるの？　そもそも朝ごはんを買わなければ遅刻しなかったのでは？」

なんて考えるのは私だけ。なかには、出社してタイムカードを打刻してから、悠々とコンビニに朝ごはんやコーヒーを買いに行く強者も（これも台湾では普通の感覚）。

会社によっても違うが、私が働いていた会社は昼休みが1時間半もあった。お昼ごはんを食べた後、オフィス内は消灯され（クーラーは付けたまま）、皆がデスクで昼寝を始める。うつ伏せ寝ができるマイ枕とひざ掛けが常備され、快適な睡眠環境がしっかり整えられている。私はクライアントに日本企業が多かったので、お昼の時間帯にも会議や電話が入ることが多く、同僚の昼寝の邪魔にならないよう気を付ける必要があった。訪問客があればコソコソと会議室へ案内し、電話やリモート会議が入ると会議室に移動して小声で話していた。

幼稚園から高校まで昼寝時間がある

台湾では幼稚園から高校までずっと昼寝の時間が設けられており、すっかり習慣になっている。男性は18歳以上での兵役が義務付けられており、その間に昼寝の習慣がさらに強化されるようだ。私の台湾人夫もまた、昼寝が欠かせない人だ。昼ごはんの後に昼寝をしないと、頭が回らないらしい。

では勤務時間中は鬼のように働いているのかというと、実はそうでもない。もちろん素晴らしい効率で働いている人もいるのだが、勤務中もＬＩＮＥでチャットしたり、ネットサーフィンしてニュースサイトやFacebookを見ている人も多い。お菓子や魚などの生鮮食品をグループ購買するお誘いもしょっちゅう回ってくるし、「タピオカドリンク飲む人いる～？」などと声を掛け合い、デリバリーで飲み物を頼んだりする。

ワーカホリックの傾向がある典型的な日本人だからか、私などは、

「この状態で残業もしないなんて、仕事はちゃんと終わるの？」

などと思ってしまうが、台湾はそれでもしっかり経済が回っている。私は最近、こう思うようになった。

「従業員が残業したり、ギリギリで無理して働かないと回らないことが前提にされた事業は、そもそも事業の設計自体が間違っているのかもしれない」

「身体を温める／冷やす食べ物」に気を遣う

むくみには小豆水、のど痛には玉ねぎエキス

東洋医学の考え方が根付いている台湾では、私よりずっと若い世代でも、ジェンダー問わず「身体を冷やさないように」という概念を持っている人が多い。飲み物に氷を入れず常温で飲む習慣はすっかり私にも定着しており、確かにその方が体調が良い。たまに日本に帰り、グラスにたっぷりの氷が入った水を出されると、内心「ヒエェ〜〜」と思うまでに台湾化した。

生理中の女性は特に身体を冷やしてはならないので、食べる食材にもさらに気を遣う。皆、スイカや梨などの身体を冷やすフルーツは食べなくなるし、白菜なんかも避けるようになる。

台湾はバナナがおいしくて安価で手に入るので、長男の時も次男の時も、シッターさんに預ける際によく持たせていたのだが、「バナナは身体を冷やす食べ物だから、子どもに咳が出ている時は食べさせられない」などと言われる。咳が出ている時には、ドラゴンフルーツもダメだ。

逆にライチやナッツ類は「火氣（ほてり）」を招きやすく、鼻血が出たり、夜眠れなくなるといった理由から、食べ過ぎには気をつけるよう口うるさく言われる。ローゼル（洛神花）を煮出したローゼルティーや、数種類の薬草で煮出した青草茶などは、「火氣」をおさえることができるとされている。身体がむくんでいる時には小豆水、のどが痛む時には玉ねぎエキスなど、皆さまざまな生活の知恵に詳しい。

あれこれ食べてはならない食べ物のルールがあって頭が痛くなるかもしれないが、そんな時に私が発動するのが、「外国人枠」だ。「私は日本人なのであまり詳しくなくて……」と申し訳なさそうな顔をして食べてしまう。

それに大きな声では言えないのだが、身体を冷やしてはいけないはずなのに、台湾人は冷房が大好きなのだ。かき氷は国民食のような存在だし、キンキンに冷えたタピオカドリンクだって毎日のように飲んでいる。そこには大いなる矛盾が存在する。人の矛盾をつつくような、品のないことはしない。でも、私だって好きなものを好きな時に食べたり飲んだりしてもいいだろうと、すっかり開きなおっている。

生理中は鉄分摂取が欠かせない

電鍋にたっぷりのぜんざい

台湾で共に働いた同僚や部下たちは、自分が新卒だろうが新人だろうが、「それとこれは別」と言わんばかりに堂々と生理休暇を取得する。そんな彼女たちを見ていたら、私自身も生理で体調が悪い時は無理をしないようになっていった。しかも「今、生理なの」と言うだけで、同僚や部下、お付き合いした彼氏たちがホットココアやチョコレートなどを差し入れしてくれた。生理特有の、あの「ずーん」とした憂鬱さが薄れたような気持ちになるので、ありがたく甘えることにした。

我が家でも、私に生理が来ると、夫が「ぜんざい」を作ってくれる。小豆は鉄分が豊富なので、生理中の鉄分補給に良いとされているからだ。台湾の一家に一台以上はあるとされる「電鍋」を使ってたっぷり作り、数日かけて朝食やおやつに食べている。子どもたちもそんな父親の姿を見ているからか、私に生理が来ると、体を冷やさないようにブランケットを持ってきてくれるなど、特別優しくなる。生理中の女性に優しくすることは、台湾では何も特別なことではないのだ。

夫曰く、「ママが幸せだと、家族みんなも幸せだよ」とのことだから、最近では堂々と休ませてもらうようになった。

強調しておきたいのは、決して自慢したいわけではないということだ。もし日本で生理中に休むことに負い目や引け目を感じる女性がいたら、「世界にはこんなに甘えて過ごしている日本人女性もいるのだから、私ももうちょっと自分に優しくしてもいいのかも」と思うための踏み台にしてほしいという一心で、これを書いている。

少なくとも周囲に対して素直に「つらい」と言うことができ、相手から「あなたは今つらいのね」と受け入れてもらえることは大切なことだと思ったし、ほかの女性たちから「自分はつらくないのだから、あなたもつらくないはずだ」とか「みんなも我慢しているんだから、あなたも我慢しなきゃ」と言われるような社会は不健康だと思うようになった。

なお、普段から身体を冷やさないように気をつけている台湾人にとって、「生理中や妊娠中に身体を冷やすなんて、もってのほか」だ。身体を冷やすと言われるコーヒーを生理中にガブガブ飲んでいる私を見て、同僚たちは「日本は文化が違うのだろうけど……」と不安顔。生理中でもキンキンに冷えたビールを飲む私を見て、「そうだね、日本人だからね……」と言いながら、彼女たちはすっかり呆れ顔だ。

ベジタリアンが年々増加中

食べるもの・食べないものを堂々と主張

台湾でベジタリアン食は「素食（スースー）」と表記され、普通の食堂（バイキング形式のお弁当屋さんも多い）やカフェから大規模なブッフェレストランまで、実に多様に進化している。本当においしいので私自身もよく利用するし、そうしたレストランを取材するのは知らないことばかりでとても楽しい。取材で聞いたところによると、「今は普通のレストランを開くより、ベジタリアン食のレストランにした方がよっぽどうまくいく」というほどの人気らしい。

もともとは宗教的な理由からベジタリアンやビーガン食を選択する人が多かったようだが、今では健康のためとか、環境のためといった理由から、完全なベジタリアンでなくても、週に何回かの食事はベジタリアン食を選ぶような人も増えている。ベジタリアンでなくても、農家出身の人々の中には、自分たちは牛とともにコメ作りをしてきたから、家族のような存在である牛を食べるなんてできない、という考え方の人もいる。

「自分と人が違って当たり前」という価値観が根付いている台湾では、食事をする際にも堂々と食べるもの・食べないものを主張する。レストランやカフェにも当たり前のようにベジタリアン対応メニューがある。先日取材した企業では、週に一度設定されている「ベジタリアンの日」に社員食堂でベジタリアン弁当を購入するとポイントが貯まり、10ポイント貯めると一回分のお弁当が無料になる制度があると聞いた。

それ以外にも、「願掛けのために、一時期だけベジタリアンになる」という風習もある。私の部下は父親の手術成功を願ってベジタリアンになっていた。手術が無事成功した時、本当に嬉しそうにコストコでお肉を買う姿をSNS越しに見て、私までホッとしたのを覚えている。

オードリー・タンさんも、価値観上の理由でベジタリアン食を選択している人物の一人だし、私の周囲にはベジタリアンが普通にいる。そんな価値観に触れるうち、これまでは健康のために時折ベジタリアン食を取ってきた私だったが、「肉を食べる」ことに対する意識が変わりはじめたようだ。夏に一時帰省した日本の実家でバーベキユーをした時、肉を焼くシズル感たっぷりの動画を撮ったものの、SNSにアップするかどうか迷った結果、アップしないことを選択した。台湾での暮らしが、これほどまでに私の「肉食」に対する見方に影響を与えているのだと、自分でも驚いた出来事だった。

成功すれば大富豪。飲食業は儲かる?!

おいしいと聞けばとにかく試す

食にこだわる台湾人。台湾人の行くところには必ず食事処があるし、オフィスはいつも何かしら食べ物の匂いがする。街にはいつもおいしい匂いが漂っている。

ママ友たちと子連れで地方の動物園に行った時も、現地に食べ物が売っていなかった時のためにおにぎりを握って持参したのは私だけで、皆は当然のように現地調達していたし（その土地のグルメ情報をしっかり調べていた）、取材で地方に行った時も、朝は車内で特注サンドイッチセット、昼と夕方には地方の美食でもてなされ、食事の時間の配分がかなり長かったように記憶している。

日本にいた頃にもよくメディアツアーに参加していたが、食事の時間こそ決められていたけれど、「この時間で各々食事を取ってくださいね」といった感じで、食事もそこそこに仕事ばかりしていた気がする。そう、台湾人は食事の時間を本当に大切に

「社員旅行のため5日間お休みさせていただきます」の貼り紙。店の前まで来ていた会社勤めらしき女性は「いいなぁ旅行かぁ〜、儲かってるね!」と話していた。

する。

　そんな食に対する飽くなき探究心からか、はたまた新しい物好きだからか、皆「おいしいと聞いたものはとにかく試してみよう」という好奇心が非常に強い。だから、飲食業界の競争は非常に激しいものの、成功すると大富豪も夢ではないのだそうだ。

　観光客から見るとなんてことのない屋台や食堂も、決して侮ってはならない。人気店になると、オーナー一族たちが店周辺の土地を次々に買い占め、そのエリアの大地主になっていることも珍しくない。

　雑誌連載のために朝食店の取材をしていると、人気店のオーナーから「年に2〜3回は日本旅行に行くくらい日本が好き」と声をかけてもらうことも少なくない。そんな時はいつも、「日本人の私より日本にたくさん行っていますね！」なんて笑いながら、「日本に来てくれてありがとうございます」と感謝の気持ちを伝えるようにしている。

昔ながらの朝食店はたいていは家族経営なので、皆の都合がついたら急に休んで旅行へ行くのも「台湾あるある」だ。たいていの場合、予告なく休みに入るが、それに腹を立てる人なんて皆無。

袋麺プロデュースが大ブーム

多種多様で、とにかく変化が早いのが台湾の飲食業界。そう考えると、台湾で発明されたタピオカミルクティーは、そんな台湾を体現する存在のようにも思えてくる。

タピオカミルクティーがすっかり定着した今では、黒糖やタロイモを混ぜたタピオカなど、さまざまなフレーバーが開発されている。タピオカのほかにも、仙草や愛玉（アイユー）のゼリーなど、さまざまなトッピングが存在する。ドリンクの糖度や氷の量まで調整してもらえるフレキシブルさも、実に台湾らしい。

最近では、台湾の芸能人の間で「袋麺」をプロデュースするのが大ブームになっている。飲食業界の知り合いも、「今、袋麺を出していないのは芸能人じゃない」と冗談を言うほどの盛り上がりようだ。袋麺の製造工場では、それぞれのブランドによって麺のタイプやつゆの内容を調整することで差別化している。ブームのおかげで工場はどこも大儲け。売上額は億を超えるのだそうだ。日本の芸能人だと洋服やコスメなどのプロデュースが主流のように思えるが、「袋麺プロデュース」というのが、いかにも食文化が豊かな台湾ならではだろう。

ビジネスチャンスが広がる台湾の飲食業だが、儲け度外視で家族や親戚、周囲の友人知人だけを相手にしているような農家や加工食品の製造元なども少なくない。新鮮で甘みのある高山キャベツや、発酵食品、秘伝の調味料など、その種類は多岐にわたり、「自分や家族のために作っているけれど、周囲の分も頼まれて作っている」といったケースだ。私が愛用しているごま油も、もとは「子どもたちのために安全な油を使いたい」と考えた母親たちが作ったものである。

また、台湾にも日本の「生協（生活協同組合）」のような、消費者によって運営されている共同組合が存在する。老舗の組合「主婦連盟（台灣主婦聯盟生活消費合作社）」には、オードリー・タンさんの母親も長年深く関わっている。こうした組合は「稼ぐ」というよりは、台湾の自然や農業、そして自分や周囲の健康が「サステナブルであること」を重視しているように思える。

お金持ちになっても行きつけの屋台に通い続ける

巷子の文化

台湾人にとっての〝おふくろの味〟は、2種類あると思う。ひとつが自分の育ての親や親戚が作ってくれたご飯の味で、もうひとつが近所の「巷子（シャンズ）」——台湾で路地のことをこう呼ぶ——にある、行きつけの店の味だ。

台湾人と一緒にご飯を食べていると、みんなこう言う。

「悪くないけど、私の実家近くの巷子にある店の方がおいしいね。あの店は台湾で一番おいしい」

彼らは、自分が幼い頃から食べてきた味を一番に思っているのだ。

飲食店を営む方も、自分たちの巷子を大切に思っている。ある時、私よりずっと年下で、人気の飲食店を何店舗も経営するやり手事業家の男性が、主要駅にほど近い大通りの一等地に店をオープンした。「すごい場所ですね」と言うと、

「台北の街を見ていると、どの駅の近くにもスターバックスがあって、コンビニがあって、顔ぶれが変わらない。大手チェーン店ばかりで街に個性がなくなっていくのが嫌だから、挑戦したいと思ったんだ。小さい店だけどね」

と話していた。また別の朝食店を開いた若い女性も、それまでは外資系広告代理店でバリバリ働いていたけれど、「自分が徹夜をしながら働いて稼いだお金が、台湾ではなく外国に流れていくのに疑問を感じた」と一念発起し、外国人にも喜んでもらえるような、台湾らしい朝食店を開くことにしたのだと話してくれた。

彼らのそうした取り組みが、台湾のそこかしこの巷子の文化を作っているのだと思う。「自分たちの社会は自分たちで作る」といったブレない熱意に至近距離で触れると、私はいつも胸が締め付けられる。自分は日本の社会に対してそんな気持ちで貢献できているのだろうかと、自責の念に駆られる。

巷子の美食を愛するのは、若者だけではない。日本から来たばかりの頃にびっくりしたのが、社会的に成功したお金持ちも、巷子にある屋台や食堂で当たり前のように食事を取るということだった。お世辞にも衛生的とは言えないような店でも、自分がおいしい、応援したいと思う店であれば、彼らは通い続ける。

たとえば台湾を代表する庶民的グルメ「滷肉飯」は、使う肉の部位や甘さ加減、ご飯の硬さなどが店によって大きく異なるので、皆それぞれに自分の好きな店の味というものがある。だから自然と「どの店が好き？」という話題になりやすいのだが、そんな話をしている時、ある知人がこう言った。

「前に新聞のグルメ欄で、美食家として有名なある社長が基隆（台湾北部の地方都市）の廟口夜市の滷肉飯を挙げていたのを見たことがある。自分はそれを見て思った。確かに廟口夜市の滷肉飯は普通においしいけれど、他にももっとおいしい滷肉飯はたくさん存在する。あれはきっと社長がまだ少年だった頃、田舎から出てきた基隆で食べて『おいしい！』と思った時の印象が、今でも彼の心に深く刻まれているということなんだと思う」

聞いていて、本当にそういうことってあるよなと思える考察だった。社会的に成功してどんな美食を食べ続けていようとも、食べ盛りでまだそんなにお金がない頃に自分でお金を払って食べた滷肉飯の方が、記憶に残り続けるということなのだろう。そしてきっと台湾のいたるところに、一人ひとりにとっての大切な「巷子のあの店」が存在しているのだろう。

台湾人の味覚の繊細さ！

辛さだけでも4種類

台湾でレストランや台湾茶、コーヒーなどを出す店を取材していると、自分の味覚の鈍さや、語彙の乏しさに打ちひしがれる。取材先のシェフや店主に直接話を聞いているのだから、そもそも話のレベルが高いのと、自分の台湾華語が拙いというのももちろんあるのだけれど、大前提として、台湾人の舌は私よりずっと繊細な味の変化を感じ取ることができているのではないかと思う。

辛さだけでも、「甜辣（ティエンラー）（甘辛い）」「鹹辣（シエンラー）（しょっぱ辛い）」「麻辣（マーラー）（しびれる辛さ）」「酸辣（スウワンラー）（酸っぱ辛い）」とよく使うものだけで4種類はあるし、台湾人は「最初に甜辣が来るけれど、噛むうちに麻辣を感じて、最後に酸辣が来るね」といった感じで、それらを「層」で感じて表現する。さらに、「どの店の麻辣の方がしびれる」「あそこの店の甜辣の甘さは、新鮮なエビを炒めて出している」と発展していくので、自分の好きな味覚をとことん追究する好奇心の強さは底が知れない。

化学調味料にも敏感で、化学調味料が入ったものを食べるとすぐに「舌がピリピリする」と、水で口をすすぐ。

台湾茶の世界もまた奥深いのだが、私がずっと興味を持っているのが「回甘（ホイガン）」だ。「戻ってくる甘さ」という字面の通り、飲み始めは苦さを感じたものが、喉を通り終えた後の口の中に甘い余韻が広がることを指す。台湾茶の楽しみの一つと言っても良いのだが、どのお茶にも「回甘」が感じられるというわけではないから面白い。お茶を飲み終え、店を出て歩いていてもずっと口の中で「回甘」が続く時などは、その繊細な味を感じていられることが嬉しくなるし、もっと台湾茶の世界を探究してみたいと思わされる。

こんな素敵な文化がすぐそばにある台湾人がうらやましいと思うのだが、一方の台湾人は、日本の茶の文化や「侘び寂び」の概念が大好きだと言う。台湾茶をたしなむ時によく使われる「一茶一會（いっちゃいちえ）」という言葉は、日本の茶道の世界にある「一期一会」から来ていると言われている。お互いに、隣の文化がまぶしく見えるということなのだろうか。

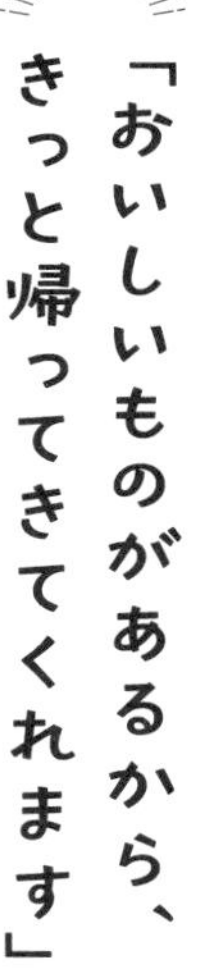

「おいしいものがあるから、きっと帰ってきてくれます」

人材の海外流出を防ぐ秘策?!

取材を通して知り合った、台湾料理レストラン「Ｍｙ灶（ザオ）（「私の厨房」の意）」オーナーの昌正浩（チャンジェンハオ）さんは、台湾きっての美食家だ。と同時に、台湾の「小吃（シャオチー）（軽食のこと）」を愛してやまない、人情深い人でもある。「うまい・安い・早い」の三拍子が揃った台湾小吃の代表格である滷肉飯を、他店ではあり得ないほど手の込んだプロセスを経て提供することで、１杯90元（約４５０円、相場の2倍ほど）という高級滷肉飯として提供している。他では食べることのできないこの一杯を求めて国内外からお客が殺到する、ミシュランガイド「ビブグルマン」の常連店へと育て上げた。

飲食店経営の傍らで、毎朝お気に入りの朝食店を食べ歩くのが昌さんの日課だ。時には私のようなメディア関係者や、自分の知人友人を連れて行くことで、台湾が誇る

「小吃」という食文化の素晴らしさを伝え、守り継ごうとしている。私も、片倉真理さんや田中美帆さんといった先輩在台ライターたちと一緒に、何十回も朝ごはんに連れて行ってもらった。ある時は一回の朝ごはんで3軒の滷肉飯専門店を回り、お腹がはち切れそうになったのだが、昌さんはそんな私たちを見ながら、

「一度に食べ比べないと、その微妙な違いが分からないだろう？」

と、満足げだった。彼は海外の有名店にもよく行くらしいが、どんな高級料理を食べても、結局のところ、台湾の「小吃」が心を捉えて離さないらしい。

「海外でどんなに有名で高級な料理を食べても、自分にとっての『おいしい』は、この舌に残っている記憶なんだ。ここでしか食べられない、この味なんだよ」

と、本当に嬉しそうに麺やらご飯やらを頬張っている。

そんな昌さんの姿を見ていると、私はオードリーさんと初めて会った時、彼女から言われた言葉を思い出す。それは、台湾におけるハイレベル人材の海外流出が世界的に見てもトップレベルであることについて、オードリーさんに意見を求めた時のことだ。私の周りには、オードリーさんのような世界レベルの人材が台湾に留まり、政府の中で活躍してくれているのを「希望」と感じる台湾人が多かったから、オードリー

さんがなぜ台湾に残り続けるのか、そこにはどんな信念があるのかを訊いてみたかった。けれどオードリーさんの答えは、私の予想を軽く飛び超えたものだった。

「流出、とってもいいじゃないですか。どんどんしたらいいと思います。台湾人がアメリカで起業しても、台湾にふさわしい環境があると思えばまた帰ってきます。その時、彼らは一人ではなく、仲間を連れて帰ってくる。人材の交流はとても大事なので、海外へ行こうとする人を止めてはならない。大丈夫です、台湾にはおいしいものがたくさんありますから（笑）」

本当にその通りで、台湾人は本当に食を大切にする。私は台湾人と一緒にいて、お腹を空かせたことがない。

台湾について書く時に、食について触れずにはいられないのですっかり長くなってしまった。でも、「とりあえず、お茶でも飲んで、おいしいものでも食べて、話の続きはそれから」というのが台湾流だから仕方ない。

第3章

台湾での妊娠・出産

私たちは、もっと堂々と甘えていい

「我慢の呪い」から自由になろう

台湾で長男と次男を妊娠し、どちらも台湾で出産した。そんな私が日本に向けて伝えたいのは、毎月の生理はもちろん、妊娠しようと準備している時、妊娠中、出産時、産後といったそれぞれのシーンで「女性はもっと大切にされていいし、甘えていいのでは？」ということ。ここでは私がそんな思いを抱くようになったわけを綴っていきたいと思う。

決して「台湾はこんなにすごい」ということを自慢したいのではない。ただ、日本人は持ち前の我慢強さで「ほかの人も我慢しているのだから」などとつい我慢してしまったり、「自分だけうまくできないなんて恥ずかしい」と不安やしんどさを隠しがちのように見受けられる。

私も台湾に来る前までは、そんな日本人女性の一人だった。いや、台湾に来てからもその呪縛に縛られ続けていたのだけれど、台湾暮らしも11年目、台湾人と再婚した今ではすっかりその呪いから自由になることができたように感じている。そんな私の体験をシェアすることで、「お隣の台湾で女性はこんなに大切にされているんだし、私だってちょっと甘えてもいいのかも」と思っていただけるよう、おせっかいな「鶏おばちゃん」全開で、あなたの心の扉をノックしていきたい。

「母親教室」は父親も参加できるよう平日夜に開催

まず、妊娠中は妊婦健診に通うことになるわけだが、そのほかに産婦人科でちょくちょく「母親教室」が開催される。

プレママたちがお産や新生児のお世話などについて学ぶ母親教室には、長男を出産前に一度か二度行ってみたことがある。当時は台湾華語がほとんど分からず、「行ってもどうせ何を言っているか分からないし……」と及び腰だった私に、先輩ママたちの「出産の時も台湾華語を使うんでしょう？ だったら今のうちから慣れておいた方がいいよ」「母親教室は、知識というよりもプレママ友を作る場だよ！」という声に背中を押され、行ってみることにしたのだった。無料だし。

平日の夜、会場に着いてびっくり。来ていたのはプレママだけではなかった。「産後の過ごし方」と「分娩時の呼吸法」というテーマの母親教室なのに、プレパパ同伴で来ているプレママがほとんどだった。平日夜に開催された理由は、パパたちも仕事帰りに参加できるようにという取り計らいだったのだ。

台湾人男性がここまで熱心に参加するのは、ファミリーを大切にする台湾の文化や価値観から来ているように思える。出産は一族の大切な後継ぎ誕生の瞬間であるから、その費用を両親に出してもらう家庭も多い。「お金を出すから、口も出す」は、台湾あるある。どの産院でどのようにお産をするかは、ファミリーにとっての一大事ともいえるのだ。

産後入院に泊まりこみで付き添う夫たち

続いて私が驚いたのは、産後入院している妻に、夫たちが泊まりこみで付き添うことだった。

私は長男を出産後、希望していた一人部屋が取れず、二人部屋に3日間入院していた。お隣さんは途中一回入れ替わったのだが、どちらの夫婦も夫が会社を休んでずっと付き添っていた。妻が寝ているベッドの隣にあるソファーで寝泊まりしながら、妻の身の回りの世話をしたり、授乳のために運ばれてきた赤ちゃんにゲップをさせ、寝かしつけて新生児室に届けたり、妻の子宮が収縮するようマッサージしたり、妻のおやつを買いに行ったり、服を洗濯したりと忙しそうだった。と思えば、夜もパソコンでカタカタ仕事をしたり、外で電話したりする様子が垣間見えた。

特に、最初から相部屋だった夫婦には本当に助けられた。

長男はよく泣く子で、日中も夜中でも、真っ赤な顔でギャン泣きしながら部屋まで運ばれてきたから、よく隣の夫婦の赤ちゃんを起こしてしまっていたのだけれど、彼らはいつも笑顔で「大丈夫だよ、あなたもお疲れさま」と言ってくれた。

私は入院中いつも一人だったし、台湾華語が話せなかったので、新生児室から内線がかかってくるととりあえず受話器を取るものの、相手が何を言っているのか分からず、ただ「すみません、分かりません」と言って受話器を置くしかなかった。とにかく不安で、疲れ切っていた。

私の母乳が十分に出ないために長男は新生児黄疸になり、私は退院できるけれど長

相部屋のお隣さんがくれた「母乳に良いものリスト」と、おすすめの豆乳。

男はそのまま入院を継続し、紫外線を照射する光線療法を受けることになった。

そんな状況でお隣さんが私より1日早く退院するというから、私はとても心細かったのだが、彼女たちは別れ際に台湾華語に英語が併記された「母乳に良い食品のリスト」と、おすすめの豆乳をくれた。なお、彼女のお母さまから「うちの娘は弁護士なのよ！（台湾華語だと「律師」）」と筆談で教わったものの、それが何の職業なのか全然分からず、ピアノの調律師だと思っていたくらい私の語学レベルはひどいものだった。

余談だが、この話には続きがある。

この夫婦とはFacebookで繋がっていたけれど、私は出産後シングルマザーとして生きていくことに必死だったのと、言葉に自信が持てなくて、なかなか連絡することができなかった。だが、台湾人と再婚して次男を出産した私が「電動の搾乳器って便利そう！」とFacebookに書き込んだのがきっかけで、彼女から電動搾乳器を借りることになり、ついに彼女たち家族と再会した。約7年ぶりだった。

「あなた、入院中ずっと一人だったものね！」と言われたけれど、自分には当時の記憶がほとんどなくて（涙を流しても無駄だとわかっているのに、涙ばかりが出てきたのは覚えている）、でも1日違いで同じ産院で生まれた子ども同士が目の前で仲良く遊んでいて、お世話になった二人にお礼を言うことができて、今の夫を紹介することができた。きっと、幸せってこういうことを言うのだと思った。

なお、次男の出産時には、ＬＤＲ（陣痛・出産・回復を同じ場所で行える部屋）を利用し、夫と長男にも立ち会ってもらうことができた。当時8歳の長男と夫は、次男が元気よくこの世に誕生するのを見届けた。今回は、台湾華語で医師や看護師たちと意思疎通ができたうえに、夫や長男がそばにいてくれて、一人ぼっちのお産ではなかった。「世界にこんな気持ちでお産に臨める女性が増えますように」と思ったのを、今でもはっきりと覚えている。

出産のごほうび――台湾式の産後ケア「月子」

東洋医学が軸。更年期が楽になる

台湾の産後ケアは、本当にすごい。私だけでなく、台湾で出産を経験した女性なら、きっと誰もが推してくれると思うほどだ。

最近では台湾の産後ケア文化について日本のメディアでも取り上げられるようになってきたので、耳にしたことがある方も多いかもしれない。でも、もっともっと広めていきたい。台湾では、産後の母親がたっぷり休むことを「誰も責めない」ばかりか、「大いに推奨」してくれるのだ。

台湾の前・衛生福利部長（日本の厚生労働大臣に相当）で前・コロナ対策指揮官を務めた陳時中（チェンシーヂョン）さんは、2022年末に行われる台北市長選挙に立候補しており、彼は産後ケアに補助金を出そうという政策を掲げている。我慢も無理もしなくていい。休むのが仕事。台湾のこの価値観を広めて、日本のお母さんたちにも、どんどん休んでい

ただきたい。

台湾式の産後ケアは「月子（ユエズ）」と呼ばれ、産後1ヶ月くらいの期間に母親がしっかりと静養する。ちょうど日本の「産後の肥立ち」をケアするのと同じような概念だと思う。

日本と違うのは、東洋医学の考え方が軸となっている点だ。冷たいものを食べない・飲まない、外出はダメ、髪の毛を洗わない、「麻油鶏（マーヨウジー）」という薬膳スープを毎日飲む……など、古くから伝わる決まりがたくさんあるのだが、これをしっかり守って過ごせば、更年期が楽になると信じられている。私も、自分の母親世代のおばちゃんと話していると、「月子はちゃんとやりなさい、私は科学的な根拠がないからってやらなかったんだけど、今になって後悔しているわ」と言われたことが何度もある。

「月子」は、昔から自宅で産婦の母親が行うものだったようだ。それが近年ではサービス業として発達してきた。妊婦たちは、安定期に入ったら産後をどのように過ごすか具体的に検討し始める。まだお腹が小さくて動きやすいうちに産後ケアセンターを何軒も見学したり、産後ケアシッターを面接したり、産後ケア専用の食事の宅配サービスを試食したりと大忙しだ。

ホテルのように快適な「産後ケアセンター」

台湾式の産後ケアを提供するサービス3種

台湾の産後ケアは手厚いと聞いたことがある方もいるかもしれない。台湾式の産後ケアサービスは主に次の3つ。

1 ホテルのような施設で全方位ケアが受けられる「産後ケアセンター、月子中心（ユエズチョンシン）」
2 経験豊富な「産後ケアシッター、月子保母（ユエズバオムー）」の自宅派遣
3 産後ケア専用の食事「月子餐（ユエズツァン）」の宅配サービス

台湾式の産後ケアの中で最も手厚く、快適に過ごせるのが「産後ケアセンター」だ。出産のごほうびとして利用する女性が急増しており、有名人が利用した施設は早くから予約が埋まるほどブランド化している。

出産後の母親たちは自然分娩の場合3泊、帝王切開の場合は5泊ほど産院に入院した後、家に戻って産後ケアを実施するか、直接この産後ケアセンターに入ることが多い。産院に併設された産後ケアセンターもある。産後42日間の産褥期のうち、産後ケアセンターに滞在するのは一般的に2週間～1ヶ月ほどが目安だ。

産後ケアセンターの主なサービス内容（私の場合）

- 東洋医学と栄養学に基づいた「産後ケア専用の食事」が一日5食（3食＋おやつ＋「麻油鶏」などの薬膳系スープ）提供される。
- 赤ちゃんのお世話は看護師が24時間365日交代制でしてくれ、授乳時や、母親が同室を希望した時には部屋に届けられる。赤ちゃんの睡眠時間や授乳時間、排泄などは全て記録を付けてくれる。
- 産院に併設ではないセンターでも、提携先の産婦人科や小児科から、それぞれ医者が健診に来てくれる。新生児黄疸などの検査も施設にいながら行うことができる。
- 新生児室に行けばいつでもガラス越しに様子を見ることができる。施設によっては部屋からもモニター越しに見ることができる。

- ◆ マッサージやシャンプーなどのサービスも提供される（別途料金）。
- ◆ 育児に関する母親教室や、ヨガレッスンなどが開催される。
- ◆ 夫は宿泊可能（上の子どもは施設により宿泊可能、ただしその場合は赤ちゃんは同室にできず、母親が授乳室に行く仕組み）。
- ◆ 面会時間内であれば、共有スペースで来客と面会できる。

私も、長男と次男の産後（次男の産後は、後述する産後ケアシッターと併用）に、それぞれ異なる産後ケアセンターを利用した。

予定日が分かった出産半年ほど前に予約を入れようとしたのだが、長男はたまたま、おめでたいとされて出産率が増える辰年生まれだったので産後ケアセンターの予約も早くから埋まってしまい、希望する部屋の予約が取れないほどだった。辰年生まれの子どもは、生まれた瞬間から競争にさらされるんだ……と実感した。中華圏の縁起担ぎにかける情熱は本当にあなどれない。

産後ケアセンターでの滞在はとても快適で、看護師たちがずっと赤ちゃんの世話をしてくれるから、私は静養に専念することができた。産院とは違って客人を迎えられる面会ロビーが用意されているから、長男の時も次男の時も、たくさんの友人たちが会いに来てくれた。センターを出て自宅に移った後は何かとバタバタするけれど、ここでなら落ち着いて話すことができる。客人にはガラス越しに新生児室を見てもらう

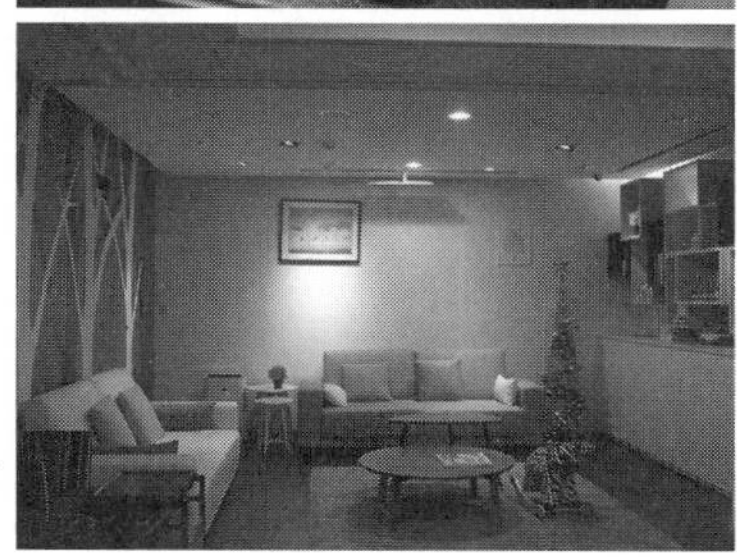

(上)ホテルのようなお部屋で、母親はじっくり静養。(中)栄養士が設計した食事やおやつが部屋まで運ばれてくる。(下)次男を出産した時に利用した産後ケアセンターの面会ロビー。

こともできるし、私が友人を連れて現れると、看護師たちは私の赤ちゃんを抱っこして、ガラス越しに友人に見せてくれたりもした。本当に、束の間の休息といった時間だった。

長男を出産した時は初めてのことだらけで右も左も分からず、そのうえ言葉も満足に話せない私だったが、それでもセンターのスタッフさんたちが丁寧に接してくれたことは、私の精神を大きく安定させてくれた。

センターには週に3回、提携先の小児科医が定期検診に来てくれた。長男の体重が増えないのは自分の母乳不足かと相談すると、それは再び出てしまった黄疸によるものだと教えてくれた。私は「最近よく眠るようになったな」程度にしか思っていなかったのだが、それは黄疸で長男の体力が落ちていたからだったのだ。もし自宅で一人で世話をしていたら、絶対に気付くことができなかっただろう。さらに、黄疸の診断に使うビリルビン値の検査も、センターにいながら採血し提携先の検査機関に出すことができ、新生児を抱えて病院まで行かずに済んだ。単なる贅沢な施設というわけではなく、本当に必要な支援を受けることができたので、大いに助けられた。

気になるお値段だが、私が長男を出産した2011年頃は一泊5000元（約2万

5000円）程度からスタートだったのが、次男出産の2019年では一泊8000元（約4万円）ぐらいが目安になっていた。台湾は不動産の地価が上がっているし、インフレにあるからだろう。何はともあれ、この施設で私はたっぷり静養し、ホルスタインよろしく母乳を生産するための体づくりに集中することができたのであった。

母乳といえば、台湾では母乳が余るほどたっぷり出た場合、母乳を配合した手作り石けんを作って親戚や知り合いに配る習慣があるようで、私も遠い知り合いからたくさんもらったことがある。確かに肌にやさしいことには違いないのだろうが、知らない女性の母乳で作った石けんを使うのは、かなり躊躇するものだった。私はともかく、夫が他の女性の母乳石けんを使うなんて、台湾の女性たちは抵抗がないのだろうか？と不思議に思ったが、台湾では母乳石けんの作り方教室や石けん作りの代行サービスがあるほど、貴重で尊い贈り物とされているようだった。

経験豊富な「産後ケアシッター」の自宅派遣

シッターさんが女神に見えた

平成から令和へと年号が切り替わる直前、２０１９年1月に次男を出産した。小学生の長男にはすでに習い事などの生活リズムができていたから産後ケアセンターに宿泊するのは難しく、かといって私だけがセンターに入ってしまうと長男や夫に何度も会いに来てもらわなければならなくなる。ちょっとバタバタだな……と考えた結果、自宅まで出張して赤ちゃんと産婦の世話をしてくれる「産後ケアシッター（月子保母）」を、朝8時半から夕方5時半までの1日9時間、計27日間お願いすることにした（ただ、それとは別に、オーナーから招待を受けて10日間「産後ケアセンター」も利用した）。

これが結果的に大正解。自宅で家族とリラックスして過ごしながら、赤ちゃんとの生活の基盤を作ることができたのだった。次男が全然寝てくれなくて、夜中のお世話がハードだった日も、「朝になればシッターさんが来てくれるから……」と朝まで寝ずに頑張り、シッターさんが来たらバトンタッチして寝室に直行し、爆睡させてもらった。新生児を迎えたばかりの母親にとって、睡眠時間とはすべての源であり、かけがえのない資本である。睡眠が確保できなければ母乳も体力も、家族への優しさだって出てはこない。そんなわけで、朝ドアベルを鳴らして登場する彼女が、私の目には女神のように見えていた。

産後ケアシッターの主なサービス内容（私の場合）

- ◆新生児の哺乳、沐浴、オムツ替えなどのお世話
- ◆新生児のケア（臍帯の消毒、マッサージや手足の運動の補助など）
- ◆新生児のお世話に関するアドバイス
- ◆母親の産後ケア（母乳を出やすくするマッサージやアドバイスなどの母乳ケア、子宮収縮を助けるマッサージ、栄養を補う飲み物作り、体を拭くためのショウガ湯作りなど）
- ◆母親と新生児の衣類の洗濯（洗う・干す・たたむ。赤ちゃんのものは手洗い！）

◆産後ケアをしている部屋、キッチンと浴室の掃除、リビングは週に2回の掃除
◆母親とその家族の食事作り（毎日3食＋薬膳デザート2種）
◆食事のための買い出し（我が家は依頼せず夫に買いに行ってもらっていた）

右記は産後ケアシッター派遣会社の契約にあるサービス内容だ。これだけでも至れり尽くせりではあるものの、実際に来てくれたシッターさんは、彼女の善意で、食事の後片付けや家族の分の洗濯までしてくれた。長男も彼女に懐いていたのが微笑ましかったし、日本から産後の手伝いに来た私の両親はすることが何もなくて時間を持て余し、「手伝うつもりで来たのに、いいのかしら……」と驚きを隠せない様子で台湾観光に出かけたりしていた。シッターさんも「日本からわざわざ来てくれたのだから」と言って、両親に台湾らしい料理を作ってくれたりした。

シッターさんは経験豊富な上に、日々新生児や産後の母親たちのお世話を専門に行っている。だからこそ彼女たちの知識は常に最新のものにアップデートされていて、私もプロの意見としてとても参考になった。これが自分の母親となると、「あなたを

産んだ頃はこうだった（＝何十年も前の情報で古かったりする）」とか「もう忘れちゃった」となりがちだ。ただでさえ産後で気が立っているところに、実母からお説教されてカチンときたり、義母だと気を遣って頼みごとがしにくかったりするのは台湾人も同じらしく、この産後ケアシッターが人気を博しているという。

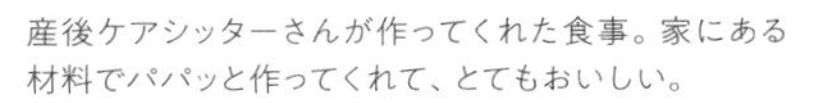

産後ケアシッターさんが作ってくれた食事。家にある材料でパパッと作ってくれて、とてもおいしい。

シッターさんと夫と私との3人のLINEグループでは、主に買い出し担当である夫とシッターさんとの間で、食材についてのやり取りが行われた。

夫：「市場で蓮の実が売っているけど、買いますか？」

(上)生薬をたっぷり煮出した「養肝茶」は毎日飲む。
(下)「庶民のコラーゲン」と呼ばれる白キクラゲのスープには、蓮の実をたっぷり。

シッターさん：「一斤（600グラム）150元くらいなら買ってもいいよ。どんなに物が良くても180元以上だったら買わなくていいからね」

というかなり実践的なやり取りもあれば、

夫：「ヤエちゃんにアイスを食べさせてもいいですか？」

シッターさん：「身体を冷やすものはダメです」

とピシャリと言われることもあり、傍目で見ていてなかなか微笑ましかった。

私が日本人だから感じたメリットかもしれないが、台湾ならではの食材や生薬について色々教えてもらえたこともまた、大きな収穫だった。おかげで薬膳茶を自分で作れるようになった。

気になる費用は、私が依頼した派遣会社だと1日9時間で2200元（約1万1000円。60分の休憩を含む。基本的に日曜はお休み）。24時間泊まり込みの場合は1日3200元（約1万6000円。120分の休憩を含む）。

「産後ケアセンター」が1日あたり6000元とか8000元以上はするので、その半額程度だ。ただ、食材費が別途だったり、センターでは小児科医や婦人科医の往診があるなど、単純に比較できない側面も多い。

なお、聞くところによれば、台湾では24時間泊まり込みのシッターサービスの方がニーズが高いのだそうだ。確かに出産後、自宅に戻って新生児との暮らしが始まる時、スーパー助っ人である産後ケアシッターがいてくれたら、本当に心強いはずだ。産後で私の気が立っている時にシッターさんがいてくれたことで、夫に対してイライラすることがなかったのも、私たち家族にとって非常にプラスになったと思う。

シッターさんの勤務最終日には涙涙のお別れとなった。彼女は引く手あまたの人気シッターなので、我が家での勤務が終わっても半年以上先まで予約でいっぱいと忙しそうだったが、次男が3歳になった今でも、季節の変わり目などに連絡を取り続けているし、たまに家に遊びに来てくれる。本当に愛情深い人だ。

呼ばれて海外に行くことも

日本など比較的距離の近い海外に嫁いだ台湾人が里帰り出産する場合は「産後ケアセンター」に入ることもできるが、アメリカやカナダなど、妊婦にとって移動が負担になるくらい距離がある場合だと、産後ケアシッターに来てもらうことも多いそう。

産後ケアシッターたちは、台湾から大量の生薬や食材を持ち込み、住み込みでサービスを行う。海外出張は別途料金になるので、かなり稼げるようだった。私の知り合いのシッターさんは、ドバイに出張した際は仕事を終えた後に現地で豪遊してきたと写真を見せてくれたことがある。

以前は働き盛りを過ぎて自分のペースで働きたい女性が就くことが多い、いわゆるセカンドキャリアとしての職業だったようだが、最近では30代でもなる人が多いのだそうだ。考えてみれば、手に職だし、嫌な案件は断れるし、一ヶ月休暇を取るなんていうこともできて、自由度が高い職業だ。自分が出産する時にも本業の知識や経験が大いに役立つ。

家事が苦手な私は逆立ちしても無理なのだが、家事や赤ちゃんのお世話が好きで苦にならない方にはぴったりなのかもしれない。

産後ケア専用の食事「月子餐」の宅配サービス

デトックス+栄養で身体を立て直す

産後ケアセンターや産後ケアシッターが提供してくれるのは、「月子餐」と呼ばれる産後ケア専用の食事だ。日本でも最近産後ケアが受けられる施設ができてきているようだが、それらと台湾の産後ケアが決定的に違うのは、やはりこの「食」の部分だと思う。

台湾式の産後ケアでは、東洋医学と栄養学に基づいた「産後ケア専用の食事」が提供される。出産が「人生最大のデトックス」と言われるように、台湾の産後ケアではこの絶好の機会を利用して女性の身体を徹底的に立て直そうとする。おそらくこれが、「産後ケアをしっかりやれば、更年期が楽になる」とまことしやかにささやかれる理由なのだろう。

産後すぐの時期には徹底的に体内デトックスを図り、身体を立て直すべくたっぷりの栄養を注ぎ込むようメニューが設計されている。味付けに塩分はできるだけ使用せず、代わりにショウガを用いる。身体を徹底的に温め、冷やさないようにする。質の良い母乳を分泌できるよう、それを促すようなメニューばかりを食べることになる。食中毒の可能性があるような生ものはもちろん、乳腺を詰まらせるような食材は使わない。

そして、台湾にはこの産後ケア専用の食事をデリバリーしてくれるサービスがある。家族皆で住んでいるから人手は足りているのだけれど、家族の食事以外に一人分だけ産後ケア専用の食事を作るのが大変だからとか、そういった人々に利用されている。

産後ケアセンターが行うデリバリーサービスもあれば、デリバリーサービスだけを行う専門業者もある。一日分をまとめて、あるいは3回に分けて宅配してくれ、おいしさはもちろん、材料の安全性や、毒性のない保存容器を使用していることなどを売りにしている。どの業者も妊婦を対象にした一食数百元程度の有料試食サービスがあり、妊婦たちは好みの業者が選定できるというわけだ。

不妊治療のため台湾に来る日本人

多くが卵子提供

台湾は少子高齢化が日本よりも深刻だ。２０２１年にＣＩＡ（アメリカ中央情報局）が発表した予測によれば、台湾の合計特殊出生率（1人の女性が一生の間に生む子どもの数の平均値）は１・０７で、調査対象となった２２７ヶ国・地域の中で最低だったそうだ（日本は１・３８で２１８位）。政府も不妊治療に補助金を打ち出すなど、積極的に施策を実施している。

台湾で不妊治療はかなりポピュラーで、東洋医学系のクリニックに通って体質改善をするものから最先端医療まで、さまざまな選択肢がある。台湾で子育てをしていると、自然と周囲に双子や3つ子が多いことに気付かされるのだが、これも不妊治療で体外受精が行われる際、複数の卵子から受精卵を作って子宮に移植するためだという。

特に台湾は2007年に「人工生殖法」が制定され、日本ではまだ臨床研究に止まっている「着床前遺伝子スクリーニング（PGS検査）」などが可能なこともあり、日本から不妊治療（多くが卵子提供）を受けに来る日本人も多いのだそうだ。私の周囲にも、台湾で不妊治療をしたという日本人女性は多く、全く珍しい話ではない。

不妊治療を提供する台湾の産婦人科側も積極的に日本人を呼び込もうとしているようで、クリニックに日本人が在籍していたり、ウェブサイトの情報も日本語で読めるようになっていたりする。私のところにも、不妊治療を行う台湾の産婦人科からPR記事を書いてほしいという依頼があったこともある。自分自身が不妊治療を受けたわけではないし、個人的に医療系の広告記事は書きたくないので断ったが、日本がカバーできていない医療ニーズの受け皿としての役割を台湾が担っているのだという現実を垣間見た瞬間だった。

世界で最も少子化が進む意外な理由

前述したように、台湾は深刻な少子化に悩まされているのだが、「子どもを持たない」選択をしている人たちにとって大きな理由となっているのが「経済的な不安（給与が上がらない等）」や「住宅価格の高騰」だと言われており、政府も経済的な支援を年々強化している。だが実は経済的要因のほかに、環境問題を考慮してそうした選択をする人が多いとも言われている。

私の知り合いにも、そういう人がいる。彼は台湾人シビックハッカーの一人で、企業でエンジニアとして勤務しながら、勤務外のプライベートな時間を使って社会問題の解決に熱心に取り組んでいた。

当時の彼が働いていたのは、私の知り合いのエンジニアが働いているIT企業だった。ハードワークであると知っていたから、私は彼に「仕事でも疲れるでしょうに、なぜプライベートな時間まで疲れることをしようと思ったの？」と、若干身も蓋もない疑問を投げかけた。彼の答えはこうだった。

「僕は結婚しているけど、妻は子どもを持ちたくないという考え方の人なんだ。僕も、この温暖化の進む地球で将来苦しい思いをするなら、自分たちが子どもを作らない方がいいと思ったりもする。その代わり、社会のためになることをしたいなと思って」

台湾で暮らしていて、こうした価値観を持っている人に出会ったのは、彼が初めてではなかった。でも、そこは多様化社会を地でいく台湾。

「私たちは子どもを持たない。でも、だからといって、あなたが子どもを持つ選択をしたことを否定するようなことはしない」といった形で話し合いを持つことができる。そして、温暖化が進む地球に子どもを産み落とした私は、これ以上地球が住みにくい場所にならないよう、行動していかなければならないとも思っている。

シングルマザーとして暮らし、台湾人と子連れ再婚

雪国でシングルマザーになった

離婚前からひとり親

私が手続きとしての離婚をしたのは、2013年の冬。「はじめに」で触れたように、台湾から日本に戻り、長野県の白馬村あたりにいた頃のことだった。当時の夫の希望で離婚することになり、シングルマザーになった。さて、これから2歳にもならない乳飲み子を抱えてどうしていこう。

もともと台湾に来て妊娠が分かった頃から夫婦関係はうまくいっていなかったから、出産と同時に私は実質的にシングルマザーだった。妊娠中から、子どもが生まれてきた後のことを考えては絶望していた。自分を奮い立たせて実家のある茨城県水戸市のハローワークに行ったこともあるが、当時の水戸市近辺には、私のキャリアを活かせるような仕事はなかなかないと告げられていた。

SNSで私の状況を知った東京にいる先輩編集者たちが「うちで働く?」と声をか

けてくれたものの、残業や出張の多い編集職をすることを考えると、貢献どころか迷惑をかける気しかしなかった。あれこれ考えあぐねていた時、白馬村で契約社員として勤めていたリゾートホテルのオーナーが言った。

「東京で、いきなり母子家庭でやって行くのはかなり大変だろう。一年間は『安定した収入』と『子どものタイムテーブルに合わせた勤務時間』を用意するから、安心できる環境で今後のことをじっくり考え、態勢を整えなさい。こちらでの仕事も自分の納得いくまでやればいい。その後は東京に行っても、台湾に行っても、白馬に残っても、思うようにしたらいい。東京に行くなら、ここの広報の仕事が遠隔地でできるように仕組みを作っておいてほしい。とにかく今後も一緒に働きたいし、応援したい」

そう言って経営幹部らと会議を開き、改めて私を受け入れてくれた。どれだけありがたかったことか。

こうして私は、雪国でシングルマザーになった。

離婚は、ただの手続きに過ぎなかった。離婚の手続きをしないとひとり親として手当を受けられないけれど、この先の私と息子の暮らしを守るためには、相手としっかり話し合い、協議離婚の内容をまとめて公正証書にしておく必要がある。日中は働き、夜子どもを寝かしつけた後にコツコツ作業した。

離婚の手続きが済んだら、次は大至急、手当の受け取りをする口座名や、クレジットカードの名義を旧姓に変更しなければならない。当時はオンラインではできなかったので、会社を休み、子どもを預け、長野県から東京の窓口まで出向いて手続きした。周囲にも迷惑をかけていたが、精神的にも肉体的にも限界だった。

「離婚したからシングルマザーになるんじゃない。離婚する前からシングルマザーなんだ」という言葉を、私は離婚やシングルマザーをテーマにした大学の講義などに呼ばれる度、繰り返し伝えている。

当時オーナーからもらったメールには、今でも大切にしている言葉がある。

「友達やまわりの人たちは、家族のように全てを解決してくれることはありません。

でも　皆が少しずつ手を貸してくれます。

困った時は　お互い様。

遠慮なく　ずーずーしい位が一番良いのですよ」

再び台湾で暮らすことを選んだ理由

私が猛烈に欲していたもの

この頃、台湾で働いていた会社の社長夫婦から再び仕事のオファーをもらい、台湾に戻ることを検討し始めた。白馬村ではとても良くしてもらっていたのだが、2歳になったばかりの子どもと初めて雪国で暮らすという生活は、なかなかに厳しいものだったからだ。

日本では皆がこうした暮らしをしているのに、君はどれだけ甘えているんだ?——といったお叱りの声は、甘んじて受け入れたうえで、それでも続きを書かせていただきたい。

日本で暮らしていれば、ひとり親用の手当が受けられる。実家のサポートも、たまにではあるが得ることができるだろう。そしてどんな緊急事態にも、日本語で意思疎通できる。だが、私は台湾に惹きつけられていた。台湾に行けばひとり親用の手当は

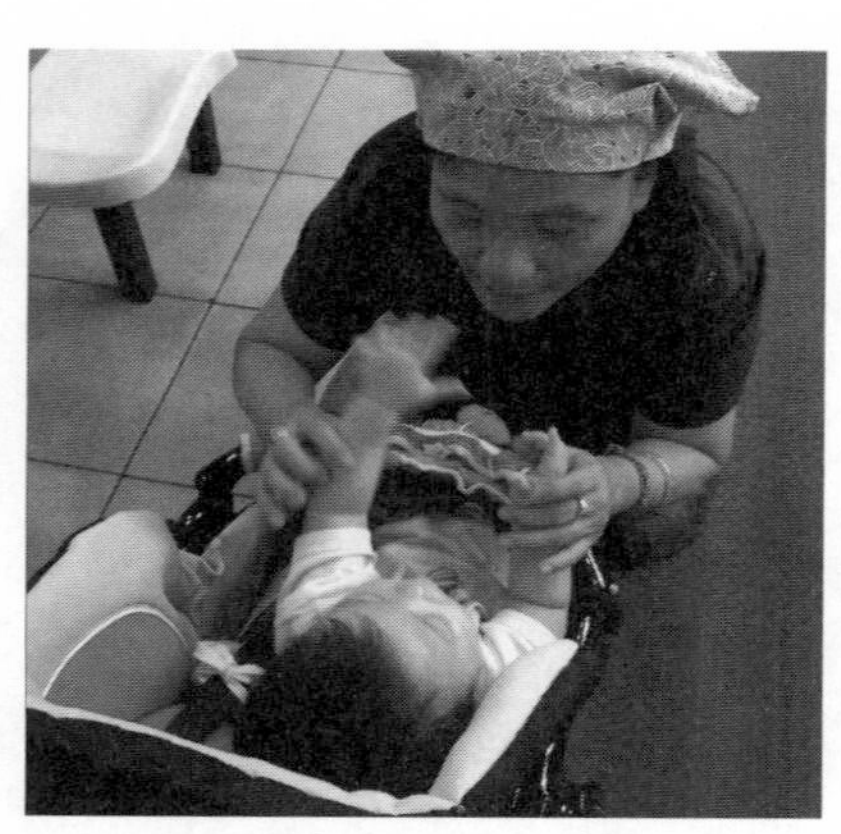

通っていた食堂のスタッフさん。店番をしながら長男をあやしてくれるので、その間にご飯をかきこんでいた。

もちろん、一般の台湾人が受けられる育児補助なども一切適用されない。頼れる家族や親戚もいない。物価は安いが給与も安い（当時の話で、現在の台湾は物価が上がっている）。それでも、台湾の「子育てに優しい環境」を、私は猛烈に欲していた。

常に一人で子育てしていた私にとって、長男を出産してから約1年半を過ごした台湾はいつだって幸せを感じていられる環境だった。台湾で子どもは〝社会の宝〟のようにみなされていて、子どもが排除されるようなことはほとんどない。時と場合にもよるが、高級レストランでも、会社の集まりでも、ほとんどが子連れOKだし、もし泣いている子どもがいたら、顔をしかめるのではなく、笑いかけてくれる、それが台湾人だ。

子連れの食事はファミレスかファーストフードが鉄板、みたいなことはなく、どこへ行っても子どもとの食事を心から楽しむことができる。お店のスタッフ（主におばちゃん）が子どもと遊んでくれて、「今のうちにあなたはゆっくり食事して！」と言われることも多い。一度、生後半年くらいの長男を連れてカウンターのお寿司屋さんに行った時は、隣の席のおばちゃんから「赤ちゃん可愛い！　抱っこさせてもらっていいかしら？」と言われて抱っこしてもらったところ、長男はそのまま他の席の客に抱っこされながら店内をぐるっと周り、20分くらいかけて私のところに戻ってきたこともあった。

「シングルですごいね！」と必ず言われた

日本で暮らしていた時、周囲に「自分はシングルマザー」とか「うちは母子家庭」と言うと、「大変だね」とか、「立ち入ったことを聞いてしまってすみません」などと言われることが多かった。一方、台湾で子育てしていた頃に同じことを言うと、必ずと言っていいほど「すごいね！」と言われた。息子にかけられる言葉も、「かわいそうね」ではなかった。

「君のお母さんはすごいね！　お母さんこんなに台湾華語が下手なのに、仕事も子育ても身寄りのない台湾でやっているなんて！　君もしっかりお母さんの言うことを聞いて、助けてあげるんだよ！」

とか、

「君もよく頑張っていて偉いよ。賢い子だね。え、日本語も台湾華語も話せるの？　そりゃすごいや……（続く）」

といった調子で、病院やタクシー、レストラン、塾……数え切れない場所で割引してもらったり、助けてもらっていた。

私は大人なので、人から「かわいそうね」と言われても、心の中で「あなたはそう思うかもしれないけれど、私は自分のことをかわいそうだとは思っていない」とブレずにいることができた。が、私が心配していたのは息子だった。

私は、環境で人が変わるということを、身をもって感じていた。東京で働いていた頃に地下鉄で並ばない人がいたらイラッとしていた自分が、台湾で暮らしていると、何同じような人を見ても「そんな人もいるよな」とか「疲れているのかな」などと、何も気にならなくなっていた。レストランでサービスが悪くても、カフェで頼んだものと違うものが出てきても、「まぁ、そんなものか」と、イラつくことはなくなった。

大人の私ですらこうなのだから、幼く、まだ自律（他からの支配・制約などを受けずに、自分自身で立てた規範に従って行動すること）できていない息子は、よりいっそう環境から影響を受けることだろう。人から「かわいそうね」と言われたら、「あぁ、僕はかわいそうな子どもなんだ」と思ってしまうのではないだろうか？

台湾でスルー能力が高い台湾人に囲まれ、細かいことは気にせず、前だけ向いて生きている私の姿を見ながら、息子自身も「君、すごいね！」と言ってもらえる環境に身を置いたほうが、人生お得に生きられる気がした。

「息子と私が少しでも多くの幸せを感じられる環境に身を置きたい」

そう自分自身を腹落ちさせて、再び台湾で暮らすことを選んだ。あとは、この選択を正解にするために、日々精進するしかないのだ。

「次はもっと良くなる」

元の職場に戻り、旧姓で名刺を作って再出発した私だったが、驚いたのは周囲の反応だった。もし日本だったら「大丈夫？　飲みにでも繰り出して気を晴らそう！」といったお誘いが多くなりそうなところだが、台湾で周囲からかけられた言葉は「妳很勇敢！　下一次會更好！（あなたは勇敢だね。次はもっと良くなるよ！）」だった。

いいないいな、過去を振り返らず、前だけを見て突き進もう。息子よ、ちゃんと落ちないようにしがみついていてね！　そんな気持ちだった。

台湾に戻った後、シングルマザーとして自立するために、私は会社内で起業した。事業も自分で企画し、社員も自分で雇った。営業は自分だけ。利益が出ていなければ、社員はおろか、自分への給与を出すこともできない。常に背水の陣の日々だった。

長男は以前と同様に毎朝会社に連れていき、会社で会計アシスタントさんに見てもらっていた。昼休みは長男と一緒に外へ出てランチを取り、午後はまた私は仕事、長男はシッターさんとお昼寝をしたり遊んだりという日々も、ハッと気付けば長男は3歳になり、翌年の秋からは幼稚園に入園する（台湾の新学期は9月）。子連れでの出勤もいよいよ終わりを迎えようとしていた。

社会に味方が増えた

いざ、台湾の幼稚園へ！

2015年の秋。長男は現地の公立幼稚園に通い始めた。台北市内の公立幼稚園は、私立に比べて学費が3分の1から4分の1ほどと抜群に安いこともあり、入園は抽選となることが多い。特に一クラスあたりの生徒数が少なく設定されている年少組はさらに狭き門となる。私もダメもとで抽選に参加したところ、4倍の倍率のなか、奇跡的に当選した。当選した時には思わず教室で飛び上がり、一人で泣いてしまった。

長男が幼稚園に通い始めると、私は昼休みが自由時間になった。休むこともできるし、会議や作業もできる。外出だって自由自在だ。喜びと同時に、長男が手を離れて自らの人生を歩み始めたことを感じ、これまで戦友のような存在だった彼の手を、「自分はうまく離してあげられるだろうか？」と考えるようになった。そして、もっともっと私がやらなければならないこと――経済的な安定と、より良い教育などといったこと――を与えてあげられるようになりたいと、強く思うようになっていった。

意外だったのは、子どもが台湾の教育を受け始めたことが、仕事に対してもプラスに働いたことだ。台湾人たちと肩を並べて働いていると、正直なところ、最初のうちは「なんで台湾人はこうなんだろう？」と思うことが多かった。その最たるものが、新しい仕事を割り振る時も、評価面談をしている時も、いつも「方向性をください」と言われることだ。彼らが「受け身」であることを不思議に、率直に言えば歯がゆく思っていた。

だが長男が幼稚園に通い始めて、長男が教師から言われた通りに行動する「インプット型」の教育を受けているのを目の当たりにすることで、その原因は台湾の教育にあるようだと、構造的な課題に気付くことができた。

「なるほど、こんな教育を受けていたら、こう育つのは無理ないな」

そう感じるようになってから、私は台湾人への見方を深めることができた。シングルマザーであることが〝足かせ〟であると思っていた私の考え方は、ここから変化していった。マーケティングの仕事をする時、その土地の人たちの習慣や価値観を知っているというのは、強烈な強みになる。スタッフにいつまでも受け身でいられては困るけれど、そこは私が教育していけばいい、そう考えるようになった。

それにしても、母親になってから若者たちを見ると、なんだか自分の子どものように思えてきて、仕事を教えるのはもちろんのこと、食生活まで心配になってしまう。入社するために地方から台北に出てきた部下にお弁当を作って渡したり、そのスタッフの出身地の郷土料理を食べに連れて行ったりしていたが、今になって振り返ると、我ながらなかなかの鶏おばちゃんぶりを発揮していたと思う。

チャーミングで自由な先生たち

公立幼稚園の先生方は皆、熱心な人ばかりだった。それに長男を一緒に育ててくれる味方が一気に増えたような気がして、私はとても心強く感じていた。ちょうど、家族も親戚もいない台湾で、一人で息子を育てることへの限界を感じていた頃だったのだ。

それに、先生たちは皆チャーミングで自由だった。

ある朝、長男を幼稚園へ送って行くと、担任の先生（若い女性）がものすごくおめかししていた。ミニスカートだし、ばっちりメイクをしている。いつもはすっぴんなのに。

「今日はなんだか特別だね！」

と言うと、

「バレちゃった♡　今夜はデートなの～！」

と、こちらがとろけそうになるほどの笑顔で嬉しそうに答えてくれた。

　またある時、ベテランの先生と話していると、お互いが通っているベーカリーが同じだということが分かった。すると彼女は、

「あの店、ポイント制度が始まったのよ。会員になるのに100元かかるけど、会員になればちょっとお得に買えるようになるの。あなたは会員になった？」

と聞いてくる。私が会員にはなっていないと答えると、彼女は会計時に自分の会員番号を言って会員価格で買うよう勧めてくる。さすがにそれは……と遠慮していると、自分もポイントが貯まるからお互いに得なのだと言う。まさにちょっと可愛めの鶏おばちゃん的な振る舞いだ。根負けした私は、ありがたく彼女の会員番号を使わせてもらうことにした。

幼稚園のほかにも、友人の紹介でマッサージ店に通い始めたところ、その店のオーナーは3人の子どもを育てているシングルマザーで、私たち親子にとても良くしてくれた。いつもベッドが2台設置してある広めの個室を用意してくれ、長男はもう一つのベッドでYouTubeを観ながら私の施術が終わるのを待たせてもらっていた。そして、「このマッサージがあれば、どんな無理をしても、何度でも立ち上がれる」と思えるほど、毎回ボロボロの身体にすさまじいマッサージを施してくれた。

私が再婚した時にはとても喜んでくれて、「自分は着ないから」と、セクシーなワンピースをお下がりでくれたり、次男が生まれた際にもたくさんのお下がりをくれたのだった。

一事が万事そんな感じで、どこにいてもすぐに居場所が見つかる雰囲気が心地よかった。

子連れ再婚は無理かも

ほとんどの場合、親権を取るのは父親

日常の生活は常に慌ただしかったし、台湾は日本からも距離的に近いから、日本からひっきりなしに友人たちが遊びに来てくれたこともあって、台湾にいても孤独を感じることはなかった。

ただ、今は楽しくても、将来への不安は募っていった。ある時、台湾人の友人で、ひとり娘を育てるシングルファザーから、衝撃的な事実を聞かされた。

「台湾では、子連れで離婚したら、ほとんどの場合、父親が親権を取るんだよ。僕もそう」

え、ちょっと待って、それってどういうこと?——私が目を白黒させていると、彼は続けた。

「台湾で子どもは〝家の跡取り〟という位置付けで大切にされるからね。もっとも、女の子の場合はいずれその家を出てよそに嫁いでいくから、父親側が親権を取らなくてもいいとされることもある。僕の場合は娘と離れるなんて考えられなかったから、自分で育てているけど」

さらりと話していたけれど、その彼は企業の経営者だったから普段は仕事で忙しく、娘さんの面倒は主に彼のお母さんが見ていた。でも、私は台湾で暮らしていて男児を育てるシングルマザーをたくさん目にしてきたし、シングルマザーに育てられたという男性にも会ったことがある。これはどういうことかと、矢継ぎ早に尋ねた。

「ということは、私のように母親が息子を連れているシングルマザーって、すごく少ないってこと？　でも私は台湾でたくさんシングルマザーを見てきたよ？」

「それは、父親側に何か引き取れない事情があったからだと思うよ」

ちょっと考えれば分かるじゃない？　といった体で彼は答えた。ぐうの音も出なかった。

「文化が違うのね……。でも、そしたら私が台湾で息子を連れたまま再婚するのは難しいってことになるんじゃない？」

〝ぐうの音〟が出ない代わりに、その辺りに残っているカスを集めるような、せめてもの思いで疑問を投げかけると、彼は言った。

「う～ん、確かにそうかもね。相手が長男の場合は、子連れの女性と結婚すると、その連れ子が跡取りになるわけだし。家族や親族に反対されたりするかもしれないね。それに長男じゃなくても、男性にとって、君の息子は自分のライバルになるからね」

記憶はそこで止まっており、その後何を話したのか、覚えていない。

いつも、タクシーは私の前で止まってくれない

緊急手術からの入院

それから数年後、知人の紹介で知り合った経営者と2年ほどお付き合いを続けたが、子連れを理由に結婚に至ることはなかった。35歳だった。

「ラストチャンスだったのに、もう一生再婚はないね」

「相手は子連れを理由にしているけど、ヤエちゃんに女性としての魅力がなかったんじゃないかな。子連れであることを忘れさせられるくらいじゃないと、再婚はできないよ」

紹介者（年上の日本人男性）からこのように言われ、私もそれを受け入れてしまっていた。

台北の冬は雨が多い。雨降りの日に、長男を連れ、大きな荷物を持ってタクシーを捕まえようとするが、いつもタクシーは私の前で止まってくれない。私の人生はそんなことばかりだ。そう思っていた。

そして気が付いた時には、盲腸と腹膜炎を併発させ、緊急手術からの入院という大ピンチに陥っていた。

「まずい、歩くのに支障があるほどお腹が痛い……」

仕事を終えて長男を迎えに行った後、近所の診療所にかかってみると、

「盲腸が破裂すると危険だから、いますぐタクシーで救急外来に行って」

と言われ、涙目で長男を連れて大病院へ向かった。

X線検査を2回して、血液検査をし、CTスキャンを2回し終わったのが深夜0時。そこから全身麻酔をして即手術となったのだった。途中から「これはいよいよまずいぞ」と思い、仕事関係各所に連絡。会社のシッターさんにも連絡して、長男を迎えにきてもらった。

手術が終わり、全身麻酔から覚めたのは深夜3時頃。翌日の夜には救急外来のベッドが足りないということで、退院となった。だが、全く動くことができない。仕方なく長男は5日間ほど私の友人宅を転々とし、泊まり込みで預かってもらうことになった。友人たちが幼稚園への送り迎えもしてくれたのだが、ちょうど入院と公立の幼稚

園の夏休み期間が重なり、その期間に預けていた補習班（ブーシーパン）（私立の塾）のオーナー夫妻が、5日間ほど無料で預かってくれたりもした。彼らは私たちが母子家庭なのを知っていて、

「お金は受け取らないよ」

と頑なだった。普段から「台湾人＝商売人」としみじみ実感していたので、商売人がお金を受け取らないなんて、と驚くとともに、彼らの人情深さにしみじみと感謝した。

ホッとしたのも束の間、私が動けるようになって長男を迎えに行った後、長男は一人になることを極度に怖がるようになった。そして、真剣にこう聞いてくる。

「ママが死んじゃったら、僕はどうやって生きていけばいいの？」

とても怖い思いをさせてしまった。仕方なく近所の警察署まで連れて行き、

「ここまで頑張って自分で歩いてくるんだよ。リュックに日本のおじいちゃんおばあちゃんの電話番号が書いてあるから、電話してもらってね。おじいちゃんたちが台湾まで迎えに来てくれるまでの間は警察が守ってくれるから、何も心配いらないよ」

こう伝えるので精一杯だった。

「自分がしてもらえなかったから、したいんだ」

盲腸と腹膜炎で緊急手術となった頃の私と長男は、キッチンのない家で暮らしていた。台湾ではよくある賃貸不動産の形態で、アパートの一フロアをリノベーションして複数の部屋に分け、貸し出しているものだ。

キッチンがないとはいえ、大家さん的には火さえ使わなければ良く、「電鍋」やIHクッキングヒーターは使用してもOKとのことだったから、私はいつも簡単なものを作って食べたり、近所の食堂で簡単に済ませていた。

けれど、この頃の長男も私も、よく体調を崩していた。きっと栄養が偏っていて、免疫力が落ちていたのだと思う。手術と入院で深く反省し、キッチン付きの家に引っ越すことにした。

我が家のゴミを、指定の場所から収集車に運ぶ作業をお願いしていたおばちゃん（台湾では日中家にいない場合、外注するのが一般的）に引っ越しの挨拶をしたら、「がんばれ、しっかりやるのよ」と、長男はおやつにソーセージを買ってもらってしまった。

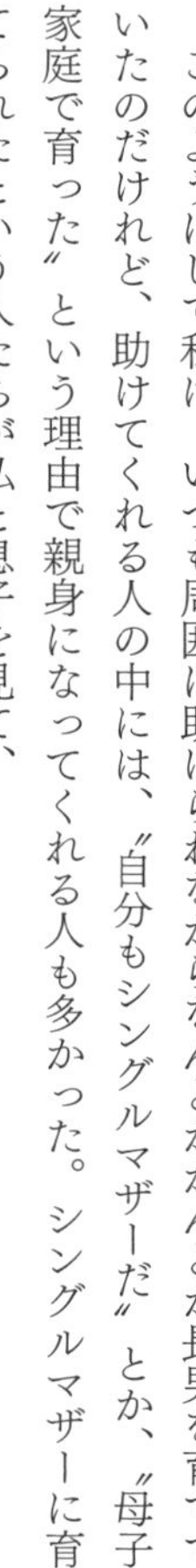

このようにして私は、いつも周囲に助けられながらなんとかかんとか長男を育てていたのだけれど、助けてくれる人の中には、〝自分もシングルマザーだ〟とか、〝母子家庭で育った〟という理由で親身になってくれる人も多かった。シングルマザーに育てられたという人たちが私と息子を見て、

「がんばれ」と、おばちゃんに買ってもらったソーセージをほおばる長男。

「自分の母親も、こんな風にして自分を育ててくれたのかな」

とぽつりとこぼす。そんな彼／彼女たちの横顔が私にはたまらなくこたえたし、彼らのお母様に対する感謝の気持ちでいっぱいになった。

一度、両親が離婚して祖母に育てられたという一回り近く年下の男性が、私たち親子を地元の夜市に連れて行ってくれたこともあった。夜ごはんをごちそうしてくれ、長男をロトゲームで遊ばせてくれ、おもちゃやアイスを買い、帰りもタクシーで家まで送ってくれた。

「自分がしてもらえなかったから、したいんだ」

という彼の言葉は優しいけれど、彼が小さかった頃の気持ちを思うと、胸が締め付けられた。

「お金は、また稼げば良い。大事なのはハートだ」

キッチンがある家に引っ越し

キッチンがある家への引っ越しの際にも、母子家庭だという理由で大いに助けられた。

当時の勤務先は、台北１０１のある信義区にあった。台北市内でも最後に都市開発が進められているエリアで、家賃も高い。長男がまだ幼かったので、できれば職場と幼稚園、居住地は近い場所にしておきたかったが、信義区で私の希望する条件と予算では、思い通りの物件はなかなか見つからなかった。

ところが、不動産仲介会社のおかげで、私たち親子は希望以上の物件に入居することができた。会社と幼稚園に自転車で行くことができる距離にあって、キッチンとロフトがある物件だ。私は長男を寝かしつけた後に仕事をしたかったのだが、音に敏感な長男は私がキーボードを叩く音で起きてしまうので、常々ロフト付きの家に住みたいと思っていたのだ。さらに、一階には24時間体制で管理人がいてくれるマンションだった。ゴミ出しも敷地内に専用の集積所がある。母子家庭には心強いことこの上なかった。

契約が済んだ後に知ったのだが、その物件は信義区のマンションにしてはかなり安かったのでとても競争が激しく、大家が途中から不動産仲介会社の担当者からの電話に出なくなったのだそうだ。家賃も不動産仲介各社からの入札方式でつり上がっていく。

そんな時、私が依頼していた不動産仲介会社の担当者は、こう言って大家に交渉したのだそうだ。

「あなた（＝大家）からは仲介手数料を取らないから、近藤さんにいちばんに部屋を見せてあげてほしい」

と。そのおかげで私は誰よりも早く部屋を内覧し、そのまま契約に至ることができたのだった。私がそれを知ったのは、まさに契約が終わってマンションを出た時のことだった。そんな風に思いながらこの案件を担当してくれていたなんて……事実を知って、私は涙が止まらなかった。担当者の女性は、優しく笑いながら、こう言った。

「お金はまた稼げばいいの。大事なのはあなたが幸せになることよ。私も母子家庭で娘が大学を卒業するまで育てたから、応援したいの。初めて会った時に、この人のことを応援したいって思ったの。大家さんもあなたに会えば絶対その場で契約できると思ったから」

「お金はまた稼げば良い。大事なのはハートだ」

これは、私が台湾で数えきれないくらい言われたことがある言葉だ。崖っぷちにいた私は、この引っ越しに未来への希望を感じずにはいられなかった。もう、息子を幸せにすることだけを考えて生きていこう。タクシーが私の前で止まってくれなくても気にしない。止まってくれるまで探しにいこう。すねていても、何も始まらない。

ますます仕事に没頭したが……

いつも暗い洞窟にいた、足元は穴だらけ

長男に「心理的安全性」と「可能性をできるだけ摘まない教育」を与えるため、経済的にもっと安定したい——そう固く決意した私は、仕事にますます没頭していった。

当時のことはあまり詳しく書けないのだが、私が力を入れれば入れるほど、周囲の風当たりが強くなるような状況だった。

「私に逆らえば、台湾で生きていけなくすることもできるんだよ」

「今謝れば、許してやる」

と、他でもない同じ日本人から言われ、唇を噛みながら握手に応えたこともある。それくらい私の立場は弱かったし、私自身は必要以上に自分を弱い存在だと思い込んでいた。

最近になって、精神科医・中井久夫先生の著書『いじめのある世界に生きる君たちへ』（中央公論新社）を読んだ。中井先生の論文「いじめの政治学」から、主にいじめの「孤立化・無力化・透明化」というプロセスについて子ども向けに紐解かれた良書なのだが、読みながらそのプロセスは私が受けていたハラスメントそのものだと思った。巧妙な政治的プロセスを経て、私は見事に罪悪感や卑小感、劣等感に苛まれ、自分を相手に引き渡してしまっていたと思う。

「近藤さんはシングルマザーだから優遇されているよね」

「シングルマザーなのに仕事がもらえているんだから、それだけで感謝しなきゃ」

事情を知らずに周囲から投げかけられる声も、私を追い詰めていた。立場の強いところから、善意で投げつけられる言葉だった。いっそのこと、私が受けている仕打ちや抱えている事情を明らかにしてしまえば、どれだけスッキリすることだろう。生活も楽になるかもしれない。

当時の心境をはっきり覚えている。いつも暗い洞窟にいて、足元は大きな穴だらけ。ちょっと油断すれば、真っ逆さまに落ちてしまいそうだった。

けれど、その暗い洞窟には、芥川龍之介の『蜘蛛の糸』のように、いつも一本の糸が垂れていた。それは、「品のないことをされたからといって、その仕返しをしているようでは、あなたの品性も下がるのよ」という、母の言葉だった。

そこから私は、心理学について書かれた本やネット上の記事などを読むようになった。「課題の分離」「ダブルバインド」といった概念は、相手と交渉する時の武器となって、私を守ってくれたように感じている。

私を追い詰めることに加担する人、窮地にいるのを横目で見ながらスッと身を引く人、さまざまな人がいたけれど、ありがたいことに、助けてくれる人も大勢いた。そこには台湾人とか日本人とか、男だとか女だとか、年齢といったものは関係なかった。

「こんな人がお父さんだったらいいなと思った」

長男のまさかの行動

そんな私が再婚したのだから、つくづく、人生というのは分からない。

彼と出会ったのは、仕事がきっかけだった。当時勤めていた会社に、メーカーの営業として来社したのが彼だった。流暢で丁寧な日本語を話し、性格も温厚そうで好印象だったのだが、当時の私にはもはや、自分が再び恋愛をするという概念がなかった。

春節が近付いた頃、年末のご挨拶にとカレンダーを持って来社した彼と、エレベーターを待ちながら談笑していた時のこと。

「春節で親戚たちに会うと、彼女はできたのかと聞かれるから嫌なんですよね」

と言うから、私は思わず、

「今、彼女いないんですね。良かったら私の友人を紹介します！」

と言っていた。若干の鶏おばちゃんぶりがここでも発揮されているが、彼も嬉しかったようで、私たちは春節のドタバタが終わったらまた日時を約束しようと、連絡先を交わした。

いよいよ友人を紹介する日。一緒に夕食を食べようと話していると、彼が選んで予約してくれたのは、雰囲気の良いダイニングレストランなどではなく、なんとレゴレストランだった。食事は電子レンジでチンしただけと思しき簡易メニューのみ。それでも、長男は大量のレゴに夢中になって遊んでいる。相手の女性からの評価よりも、紹介者である私が連れてくる子どもに配慮するなんてすごいな、と思った。各々が好きな日本のテレビ番組などを話しながら、まるで友人同士の集まりのような雰囲気で、会は終了した。私の友達と彼は、良い友人関係にはなっても恋が始まるような予感は皆無だった。

「やっぱり、私は男性を見る目がないのかな……」

女友達に申し訳なく思いながら、帰路につく。女友達はバスで帰り、私と長男、彼は地下鉄の駅に向かった。駅のホームで電車を待っていると、何を思ったか長男が急に、私と彼の手を繋がせた。

「えっ……」となる彼に、

「ごめんなさい！　どうしたの？」と、慌てふためく私。

すぐに手を離したのだが、実はこの瞬間から急にお互いを意識し始めたのがきっかけでまた食事に行くことになり、お付き合いへ、そして結婚へと発展していった。


なぜ当時そんなことをしたのか、後になって長男に訊いてみたところ、

「こんな人がお父さんだったらいいなと思った」

ということだったから、子どもが大人を見る目というのは本当に侮れない。

今の夫は私が過去に付き合った男性たちとは全く違うタイプだから、長男がいなかったら付き合うことなどなかったと思う。それは彼の方も同じだった。だから私たちの間には「長男がいなかったら私たちは結婚していなかった」という揺るぎないコンセンサスがある。

私はよく、寝る前に長男と語らう時間を設けているのだが、その時に、

「あなたのおかげで今のパパと出会えたよ、ありがとう」

と、感謝の気持ちを伝えるようにしている。すると、当時5歳だった長男が、

「でも、最初にママとパパ（血縁の父親）が結婚したから、僕が生まれたんだよね。だ

から、ママのおかげだよ」

と返してくれたことがある。

弱っていた私が、暗い洞窟の中でこちらを飲み込まんばかりに開いた穴に落ち、自分の品性を下げていたら、長男からこのような言葉が返ってくることはなかったのかもしれない。そう考えると、あの時ギリギリのところで踏みとどまって良かった――心底そう思う。

心のブレーキを外す

お付き合いすることになったとはいえ、彼とそのまま結婚することになるとは、あまり思っていなかった。長男が彼に懐けば懐くほど、「身近なところに子どもと仲良く遊んでくれる男性がいるのはありがたいけれど、何も本当の父親になるわけじゃないんだから、私がしっかり手綱を引いて、距離感をコントロールしなければ」と、私は心の中でブレーキをかけていた。

一方の彼は、小学4年生の頃に両親が離婚し、父親に文字通り男手一つで育てられてきた人だった。自分と兄を引き取った父親が、大変な苦労をしながら子育てしているのを見ていたから、私の姿にそれが重なったらしい。そして、ひとり親に育てられる子どもの寂しさもよく分かるから、長男とできるだけたくさん遊んであげたいと言い、ボードゲームやレゴで遊んだり、台湾各地に連れて行ってくれたりもした。

彼と遊んでいる時の長男の笑顔や、安心しきった表情を見ているうちに、私は自然と「このまま家族になれたらいいのに」と思うようになった。それまでの長男の顔つきとは全く違ってきていたし、よく考えたら、過去にお付き合いした彼氏たちと一緒にいた時、彼らから何をプレゼントされても、こんな表情になったことはなかった。

いつも大人の事情に振り回され、寂しくても我慢し続けてきた長男が欲しているのなら、私から終わりにする必要はないのかもしれない。そう思っているうちに、私たち3人はともに時間を過ごすことに安らぎを感じるようになっていった。

私は少しずつ、心の中でかけていたブレーキを緩め始めた。

ブレーキを意識するのをやめたのは、彼が長男と二人で外出するのを安心して見ていられるようになった頃だった。台湾は交通事故が多いので、彼が長男を連れて外を歩いている時に事故に遭うことがないとは言い切れない。「彼が長男と外出していて、万が一長男の身に何かがあっても、彼を許せる」と思えるようになった時、私は残りの人生を彼と共にすることを心に決めた。同棲生活を経て、子連れ再婚に踏み切った。

私たちの結婚に対して心の中でブレーキがかかるのは、彼の父親も同じだったようだ。最初の頃はなかなか私たち親子に会ってくれようとしなかった。口数の少ない方だからはっきり言葉にしたことはないようだが、彼に言わせると「反対するわけではないけれど、もっと時間をかけてゆっくり進めていけばいいんじゃないか?」ということのようだった。子連れの女性が自分の息子に近寄ってきたから、いいように利用されないかと少なからず警戒していたのだと思う。険しい道を歩きながら育て上げた子どもなのだから、そう思われるのも当然だと思った。そしてこう考えることにした。

「必ずや私が彼を幸せにして、彼の父親を安心させてあげよう」

おばちゃんと堂々渡り合う夫

どうやら私は、自分のことを大切にするのが下手らしい。そして絶望的におっちょこちょいだ。

自宅で仕事をしていると、昼ごはんを作るのが面倒で、家にあるお菓子を食べて済ませてしまう。しょっちゅう長男のお菓子を食べてしまうので、長男から本気で怒られている。コロナ禍でUber Eatsなどのフードデリバリーが発達したのでかなりマシになったものの、たまにはパスタでも茹でるかとお湯を沸かしても、電話が鳴って仕事部屋に戻り、電話を切った後もそのまま仕事をしてしまう始末だ。気が付いた時には鍋の中の水が蒸発し、熱くなりすぎた鍋が壊れてしまった。本当に危なすぎて笑えない。

かたや台湾人夫は料理上手で、大学で栄養学を専攻したこともあるという人なので、食事をとても大切にする。「得意な方がやる」という原則にのっとり、我が家の料理担当は夫だ。仕事終わりに会社近くの市場へ行き、食材を買ってきて、エプロンをして料理をし始める。たいていメインを2種類とスープを作ってくれる。

がさつな私は市場へ行っても値段を見ずに買い物をしてしまうのだが、彼はちゃんとざっと一周してその日に入っている新鮮な食材と価格を確かめ、最も良いと思った店に戻って買い物をしてくる。

ちなみに次男を出産した時に手伝いに来てもらっていた産後ケアシッターさんも、普段次男を見てくれているシッターさんも、市場での買い物スキルが非常に高い。台湾の家事が得意なおばちゃんたちは皆スーパーなどへは行かず、行きつけの市場を持っている。そして、その日にした買い物を勲章のように互いに見せ合う。

「その鶏肉、いくらで買ったの？」

「250元よ」

「ふぅん、地鶏でその値段ならまぁまぁね。私がいつも買う店はね……」

といった調子で、話し始めると止まらない。そして夫はその話にどこまでもついていくことができる。

市場で魚を買う時に「骨は抜いてありますか？」と聞き、「抜いてあるよ」と言われたのを信じて買ったものの、家に帰って料理しようとしたら全く骨が抜かれていないことに気づいて愕然としているような私とは、天と地の差の市場レベルである。

話が脱線したが、そんなわけで台湾人夫の手料理を食べ始めてから、長男も私も全く風邪をひくことがなくなった。食べ物が血となり肉となり、身体を作っているということをひしひしと実感している。

台湾で子育て、そしておばちゃんになった私

キーワードは「同調圧力」からの解放？

多様性が尊重される台湾社会

台湾での子育てについて書くのにまだ自分がふさわしいとは思えないまま、この章を書き始めた。長男はまだ10歳、次男に至っては3歳と、子育て卒業までの道のりはまだ長いし、私は子どもたちに特別良い教育を与えてあげられているわけではないからだ。台湾の公教育はまだ成長過程といえるし、正直日本の方がいいなと思う点も多い。

とはいえ、台湾に惹かれる点ももちろんある。それは教育の内容というより、社会環境だ。日本はさまざまなシーンにおいて「多数派に合わせるべき」といった同調圧力が働くことが多いように感じるのだが、多様性が尊重される台湾社会では、それがまったくと言っていいほど感じられない。「ママがハッピーなら、子どももハッピー！」がまかり通る。

日本で生まれ育った私は協調性を重視する日本社会が居心地よく感じることもあるけれど、こと子育てに関しては、同調圧力から解放された環境に身を置くことを、魂が求めているとすら感じている。

「無理せずできる範囲で、自分たちの家庭ごとの軸で子育てすることが、こんなに自由で幸せなことだったんだ……」という私の発見が、あなたを少しでも楽にすることを願って。

習い事も共同購入

長男が2歳の頃に出会った台湾人ママ友たちとは、かれこれ10年近い付き合いになる。きっかけは習い事だった。幼稚園に通い始める前に、団体生活に慣れさせる意味でも、適性を探る意味でも、習い事を始めようという親は多い。

台湾では「共同購入」が非常に発達していることは前述したが、子どもの習い事も例外ではない。講師たちは、「最低10人が集まったらクラスを開きます」とインターネット上で公開していることも多い。このママ友たちは、リズム体操の講師を貸しスタジオに呼んで毎週一緒に通おうとインターネット上で集まったグループで、私は友人の紹介で入ることになった。

すごいなと思ったのは彼女たちの行動力で、そのリズム体操の講師の勤務態度やクラスの内容などについて手厳しい意見を交わし合い、それならばとまた次の面白そうな習い事を見つけてくる。

ほとんどのメンバーが仕事を持っているが、就業時間中でもＬＩＮＥグループでのやり取りが飛び交っている。クラスの詳細内容が書かれたリンクとともに「興味ある人は？」と挙手を求められ、一定の人数が集まると、講師と交渉して貸切クラスを作ってもらう。こうすればクラスには仲良しの友達しかいないので、人見知りをする子も安心するし、子どもが習い事をしている間に母親たちは隣でおしゃべりに熱中できる（よく、声が大きいと先生に怒られた）。

さらに習い事が終わったら昼食を食べたり、公園で遊んだりできるから、とても効率的だ。他力本願ではあるが、自分ではなかなか見つけられないような習い事を色々試すことができたので、とてもありがたかった。

もちろんここにも同調圧力は１ミクロンも存在せず、「うちの子はあんまり興味ないかも」「家から遠いかも」「そんなに朝早く起きるの無理」など、素直にパスすることができる。「習い事には興味がなくても、公園でみんなと遊びたいって言うと思うから、お昼頃に合流するね〜」という人もいた。

私は就業時間はプライベートのＬＩＮＥをしないタイプだったので（日本人らしいとからかわれた）、日中私からの返事がなくても、その時に連絡のつく人だけで物事を先に決めておいてくれるから、後からＬＩＮＥを見て参加したかったら「うちも参加したい！」と意思表明さえすれば良い。この関係が本当に心地よかった。

それはそれ、これはこれ

〝共に子育てをする〟ママ友という上下のない関係を通して、私は台湾人のさまざまな側面を見る機会に恵まれてきたように思う。

長年付き合ううち、ママ友グループの中に、私と関係が悪くなってしまった人がいた。もともとは彼女の紹介でこのグループに入ったという経緯があったので、「あなたは私がきっかけでこのグループに入れたんだから、もうみんなと付き合わないでほしい」

と言われ、仕方なくグループから離れようとしたのだが、ほかのママ友たちは冷静だった。

「彼女と私たちの関係と、ヤエコと私たちの関係は別のこと。あなたたち二人の関係性が変わっても、私たちには関係ないよ。私たちとあなたは、これからもずっと友達だよ」

ほかの全員からそう言われ、とても驚いた。彼女には申し訳ないが、それ以降も他の皆とは仲良くさせてもらっている。その辺りもママ友たちは非常に上手で、はれものに触るような感じは全くない。

「みんなで遊ぼうということになったら、まず最初にあちらの彼女に声をかけるよ。それで彼女が来られなかったら、ヤエコに声をかける。それなら何も問題ないじゃない？」

と、メンツを立てながら双方と付き合う方法を速攻で発明し、提案してくれた。

「それはそれ、これはこれ」の線引きが非常にうまい。

「あなたの気持ちを尊重する。だから、私の気持ちも尊重してほしい」

という、多様な社会には必須となる概念が根付いているからこそ、自然にできる振舞いなのだろう。

正直なところ、台湾人が「あまりにもあからさまに損得勘定で動くところ」に対して、私はずっと苦手意識を感じていた。良くいえば「合理的」の一言なのだけれど、自分の中には「損得を考えずに良いと思うことを行うべき」という価値観が深く根付いており、なかなか受け入れることができずにいた。それをアップデートできたのは、他ならぬママ友のおかげだった。

ママ友たちは皆マイカーを所有していたが、私は車を持っていないどころか運転すらできなかったので、車で何時間もかけて行くような旅行でも、私たち親子は誰かの車に乗せてもらっていた。それによってその家の子どもが我慢しなければならないようなこともあり、私はいつも申し訳ない気持ちでいっぱいだった。そんな私に、ママ友が言った。

「ヤエコの息子と一緒に遊べることで、うちの子どもが喜ぶんだから、私たちにとってもメリットがあることなんだよ。だから申し訳ないと思わないで」

なるほど、台湾人にとっての「損得勘定」って、Win-Win的な感覚だったりもするのか！　私が思っていた〝打算的で、利用価値がないと思うと見向きもしなくなる〟といった「損得勘定」とは、ちょっとニュアンスが違ったのかもしれない。そんなに毛嫌いしなくてもいいのかもしれないと思えた瞬間だった。

台湾人は祖父母に頼ってゆるく子育てする

お迎え・夕飯・お風呂まで実家で済ませる

私が暮らしている台北では、小学生たちが自分で登下校するのは少なくとも高学年からで、それまでの間は保護者たちが送迎するのが一般的だ。おそらく交通事故が多いといった背景があるのだろうが、共働き夫婦にとって、夕方のお迎えは難しい。

そこで頼れるのが自分の両親や義父母（子どもから見ると祖父母）の存在だ。夕方に子どもの幼稚園や小学校が終わったら、祖父母のどちらかに迎えに行ってもらい、子どもたちはそのまま祖父母の家で過ごす。両親は夜、仕事が終わってから実家に迎えに行き、そこで夜ご飯と子どものお風呂を済ませる。自宅に帰ったら子どもを寝かせて、両親はそれぞれ自分の時間を過ごせるというわけだ。

それが難しい場合には、子どもを学校周辺の学習塾に入れることが多い。小学校低学年向けの学習塾は「安親班（アンチンバン）」と呼ばれ、スタッフが学校まで迎えに行き、おやつや夕食を出し、学校の宿題を見たりしながら、そのまま夜まで預かってくれる。子どもが大きくなると、「補習班」と呼ばれる学習中心のカリキュラムを提供する塾が利用されるようになる。有名塾になれば費用もそれなりにかかるのだが、親や祖父母たちは子どもにより良い教育を受けさせようと必死だから、こうした「教育サービス業」と分類されるビジネスはとても発達しているし、企業間の競争も激しい。

以上は公立の学校での話だが、私立は送迎バスが利用できたり、夜まで預かってくれるカリキュラムが用意されているので、こうした事情とはまた異なる。私立の幼稚園では、アートや英語など、特色ある授業を外部講師を招いて行うことが一般化しているので、塾を探さずとも一箇所で多様な教育が受けられる。そうした意味で、公立に入れてあれこれ気苦労が増えるのを避け、私立でスマートに済ませようとする台湾人も多い。費用が公立の3〜4倍はするので、シングルマザー時代の私にはとても選択肢に入ってこなかったのだが、（台湾人夫との間に生まれた）次男は政府からの補助が受けられるので、私立幼稚園に入れることにした。

フリーランスや自営業、ファミリー企業の多い台湾では、会社勤めであっても「ちょっと子どもを迎えに」抜けて、子どもを職場で遊ばせながら働くようなケースも珍しくない。私のママ友がまさにこのやり方で、自分の職場近くの小学校に娘さんを通わせている。

そして、私のママ友にはさらなる強者がいる。子どもが小学校に上がる前までのことだが、平日は実家に子どもを宿泊込みで預かってもらい、金曜の夜に迎えに行って、土日は自分たちと過ごす。日曜の夜になるとまた実家に送り届けるというサイクルで暮らしていた。子どものいない平日の夜は友人たちとカラオケに行ったり、旦那さんとデートに繰り出したりと、独身時代と変わらないような生活を満喫していたので本当にびっくりした。彼女は、

「平日子どもに会えないのは寂しいけど、その分仕事や家事を頑張って、土日はキャンプに行ったり、思う存分子どもと遊べるようにしているよ！」

と言っていた。満足しているのは両親だけではなく、子どもも祖父母もそれぞれ嬉しそうだったから、「こんなやり方もあるのか……」と、目から鱗だった。

これは私の仮説なのだが、日本は「仕事も子育ても我慢したり無理することが当然」とされる風潮があるからこそ、自分が仕事を引退したり、子育てを卒業した後は、

電車やバスでは、お年寄りだけでなく子どもに席を譲るのが当たり前。（上）地下鉄のファミリーエリア。「お子様連れ、妊婦、ベビーカー優先」の旨が書かれている。（下）席を譲ってもらった次男。

「もうそうしたこととはおさらばだ！」という気持ちになるのではないだろうか？
台湾の場合、仕事にも子育てにもある程度の余白があるから、ゆるく継続していけるような側面があるように感じられるのだ。持続可能――サステナブルな社会のために必要なのは、もしかしてこのゆるさだったりするのだろうか？

ママ友の旦那さんたち

子どもたちを中心に、ママ友の旦那さんも含めた家族ぐるみで付き合いを重ねることができたのも嬉しかった。

子どもたちの習い事、ピクニック、食事……彼らはママ友同士の約束に付いてきては、私たちがおしゃべりに夢中になっている傍らで、子どもたちの遊び相手になってくれた。私がシングルマザーだった頃には、まさに父親代わりのような存在として長男の遊び相手になってくれたし、自転車の乗り方や、トイレでの用の足し方まで教えてくれた。

子どもが小学校に上がると、それぞれの習い事や生活で忙しくなり、前のように頻繁に会うことはできなくなったものの、彼らとはよく遠方へ小旅行にも出かけた。

ある年のクリスマス旅行では、お互いの家でもう読まなくなった絵本をラッピングして交換し合おうという話になり、皆が自分のお気に入りを持ち寄った。大盛り上がりでプレゼント交換を終えた夜更け、絵本の読み聞かせが得意だという一人の父親が、子どもたちに読み聞かせを始めた。それまで大騒ぎだった十数人の子どもたちは静か

にその場に座り、読み聞かせに聴き入っていた。その時に彼が、

「いいか、絵本を読む時にはタイトルと作者の名前も読むんだよ。このお話を作ったのはなんていう人か、絵を描いたのはなんていう人なのか、それも大事なんだからね。みんな覚えておいて」

と言ったのが、私は忘れられない。彼は出版とは関係のない仕事をしている人だったし、どちらかというと寡黙なタイプで考えていることを口に出すことが少なかったから、子どもたちに向けて、彼が心の中で大切にしているであろうことをメッセージとして出してくれたことが嬉しかった。子どもを通じて知り合っていなければ、彼の心の中にこんな一面があると知ることはできなかったかもしれないとも思った。

「台湾のお父さんたちは、どうしてこんなに子どもの面倒を見てくれるの？」

と、また別のママ友の旦那さんに質問してみたことがある。彼はいつも長男と全力で遊んでくれ、家に泊まりがけで遊びに行かせてもらうことも度々あった。エンジニアの彼は残業も多く、休みの日などは寝ていたいだろうに、いつも子どもたちと走り回っているし、バーベキューをすれば焼き係や片付けも率先して担当してくれていたか

ら、思わず訊いてみたくなったのだ。

「台湾も、少し前の世代までは〝子どもの面倒は母親が見るもの〟っていう価値観が主流だったと思うよ。僕の父も、僕が子どもの頃に全然一緒に遊んでくれなかった。だから自分はそうしたくないって思ったんだ」

この彼の答えは、当時の私には少し意外なものだった。

「台湾はずっとこういう社会が続いていたわけではなかったんだ？　じゃあ、変わったきっかけは何だったんだろう」――この心の中の引っかかりは、それから何年もの時間をかけて、台湾の歴史の複雑さを知ることで取れていった。台湾の社会が、ほんの数十年前までは今の民主的なものからは想像もできないような権威主義だったこと。ジェンダー平等がアジアでトップである今からは考えられないくらい、男尊女卑的な価値観が根付いていたこと。たくさんの先人たちが文字通り必死に獲得してきた結果が、今なのだと。

シッターさんたちは子育ての恩人

長男のシッターさんは「ザ・台湾のおばちゃん」

台湾で子育てするにあたり、シッターさんは私にとって欠かせない存在だ。長男も次男も、それぞれ別のシッターさんに大変お世話になった。私が勝手に思っているだけだけれど、彼女たちは息子たちそれぞれにとっての「第二の母」のような存在だと思う。

長男のシッターさんは、勤めていた会社が雇ってくれた会計アシスタントさんだった。採用面接も自分と社長とで行い、双子の男の子を育て上げた経験が決め手となって、私と同時に入社した。長男が生後半年から幼稚園に上がるまで（途中10ヶ月ほど日本にいた期間もあるものの）、毎日会社で面倒を見てくれた人だ。シングルマザーの頃には泊まり込みで預かってもらったり、週末を一緒に過ごすこともあった。

当時はまだまだ私の台湾華語がおぼつかなかったので、コミュニケーションには支障があったけれど、そんなことは意に介さず、いつも明るくポジティブな彼女には何度も助けられた。

彼女は健康志向でスタイル抜群、財テクに励み、どんな小さな買い物もしっかり交渉する、「ザ・台湾のおばちゃん」を体現するような人だった。思えば私にとっての「台湾のおばちゃん入門」は、彼女から始まったといえるのかもしれない。毎日手作りのお弁当を持ってきて、自宅から会社に持ち込み設置した「マイ電鍋」で11時半きっかりに温め始める（彼女が使った後は他の社員たちが順番に使う）。

食後はアイマスクをしてしっかり昼寝をし、終業時間になったらバイクにまたがり颯爽と去っていく。昼休みにはしばしば会社近くの市場まで夕飯の材料を買いに行くこともあったし、勤務中もグループ購買で肉や魚などをお得に仕入れている。とてもおしゃれな人で、何年間も一緒に勤めたが、彼女が同じ服を着ているのをあまり見たことがなかったから、「クローゼットはどうなっているんだろう？」などと想像したりした。

そんなしっかり者の彼女だから、生理中にビールやコーヒーを飲んだりする私の生活習慣には驚いていたが、「まぁ、ヤエさん」と言いながらも、ほとんどは容認して

くれた。それでも子どもとのランチにファーストフードのハンバーガーを食べているのを見かけると、

「又吃垃圾食物！（また「ゴミ食べ物」〔栄養のない食べ物のことを台湾ではこう呼ぶ〕を食べてる！）」

と叱られていた。私と長男は今でもファーストフードを食べるたびに、

「またシッターさんに叱られちゃうね」

と笑い合っては、彼女を懐かしがっている。

次男のシッターさんは市認定のベテラン

次男のシッターさんには、次男が生後55日目からお世話になった。今、この原稿を書いている2022年の夏をもって次男はシッターさんを卒業し、8月末から幼稚園に通い始めることになっている。

彼女はシッター認証資格を保有し、台北市に登録している現役のシッターで、講習では講師を務めるようなベテランでもある。「台湾のおばちゃん」部門でも、センターでスポットライトを浴びることのできる、お手本のような方だ。

台北市によって設立されたベビーシッター制度は、認定を受けたシッターが自宅で子どもたちの世話をしてくれて、保護者が毎日子どもを送迎する仕組みで運営されている。シッター制度の利用に対する補助金も出るので、実質は半額ほど（1ヶ月1万元程度＝約5万円）の負担で利用できる。

私は次男の妊娠中、安定期に入ったタイミングで、知人に紹介してもらったシッターさん何人かと家族全員で面談した。そして全員一致で「この人がいい！」と思った彼女と契約した。

彼女は「シッター業に大切なのは、体力と免疫力」と公言し、それはそれは健康的な生活を送っている。私が次男を送り届ける朝8時前に、近所の公園でお友達たちと健康運動（その実態はダンス）をしてひと汗かいている。その公園は「生態公園」と呼ばれる、生態系保護をコンセプトにして作られている公園で、近所の有志たちによってメンテナンスされているのだが、彼女はその公園に自分が育てて増やした植物を植えに行くほどコミットしている。

そして言わずもがな、市場通いのプロでもある。白菜やカリフラワーなどが旬を迎え安くなっている時に大量に購入し、乾燥させたり漬けたりと保存食にして少しずつ食べている。得意料理は大量に作ってご近所さんやシッター仲間、そして私にも分けてくれる。彼女たちはお互いに得意料理を作っては毎日のように交換して過ごしており、それを見ていると「豊かってこういうことなんだろうな」と思わされてばかりだ。

おすそ分けしてもらってばかりの私が、ある日ぽつりと、

「なんでも上手に作れて、本当にすごいね！」

と言うと、彼女は優しく笑いながらこう返してくれた。

「人それぞれ得意なことがあるでしょう。あなたは仕事が得意なだけよ」

シッターさんたちのように母性が強く、家庭的なことが得意な女性たちを間近で見るたび、私は自分が持ち合わせている母性が、世間で言われているものとはかけ離れていると落ち込んでいた。それでも「女性だから」という理由で、どうにかして「世間の母親像」にしがみつこうと努力してきたようにも思う。けれどシッターさんのこの言葉を聞いた時から、ふっと力が抜けた気がした。

さまざまな「母性」があっていい。

私が自分で子どもに与えられなくてもいい。

足りないものは、社会のそこかしこにいる方々の手を借りて子育てすればいいんだ。

その代わり、私も自分が上手にできることを、社会に返していけばいい。そんな私の姿を子どもたちに見せることも一つの教育なのかもしれないと、思い始めたのだった。

シッターさんとのほど良い連携

産後ケアシッターにせよ、託児シッターにせよ、彼女たちの手を借りていて実感するのは、実母よりも関係性がこじれずに済むということだった。日本で暮らす実母は私の出産時にも日本から駆けつけてくれ、短期で滞在して手伝ってくれたし、子どもたちの夏休みで日本の実家に滞在する時にも、いつも献身的に面倒を見てくれているので、本当に感謝している。けれど、シッターさんたちとは「契約」という、全く別の関係性で繋がっているという前提のもと、「子どもをより良く育てること」という共通の目的を達成すべく、ほど良い距離感で連携できている。

私が外国人だからということが影響しているのかもしれないが、どのシッターさんたちも、私の育児に対する知見が浅くても、価値観が自分と違っていても、尊重してくれる。対する私自身も、育児のプロである彼女たちの意見だから、尊重して聞くべきだという姿勢が取れているような気もする。

次男はとにかくやんちゃで、シッターさんの自宅のソファーをトランポリンやすべり台代わりにしてしまう。日本の私の実家だと、そんなことは許されないだろう。「母親がしっかりしつけるべき」と、私は両親から叱られるはずだ。両親には私をしつける責任があるから仕方ない。けれどシッターさんは、

「皮就皮啊～！（やんちゃだって、いいじゃない！）」

「生氣也沒用啊！（怒っても解決しないよ！）」

と、全く動じない。

定期検診で小児科医から、

「バイリンガル環境だからかもしれませんが、それを差し引いても、言葉の発達が遅すぎるのでは？　専門病院を受診した方がいいですよ」

と言われたことがあった。私自身は次男はまだ言葉を収集している段階で、それが表に出てきていないだけのように思えたので、病院の受診は必要ないように感じたが、それでは主観的すぎるのでシッターさんにも意見を求めてみた。たくさんの子どもた

ちを見てきた彼女が、

「心配する気持ちはわかるけど、この子の言語は問題ないと思う。あと半年経っても言葉が出てこなかったら、その時に病院に行ってみるのはどう？」

と言ってくれたことで、自分の考えに自信が持てたようなこともあった。

育児の味方がすぐそばにいるというのは、何より心強いことだった。


なお、台湾人夫は子育てについての知識や経験を持たないので、必然的にそこは私がフォローすることになる。次男が生まれる前に私がシッターさんを探したいと提案した時も、夫はその必要性に疑問を抱いていた。自宅で仕事をする私が面倒を見ながら働けると思っていたのだが、次男が生まれてきて初めて、それがインポッシブルなミッションであると知ったのだった。

次男のシッターさんには特に私たちが再婚であることを伝えていなかったので、次男を預け始めたばかりの頃の夫は、

「あら？　二人目の子どもなのに、あなたそんなことも知らないの？」

と笑われていた。これはまずいと思い、私たちは子連れ再婚で、夫にとってはこの次

男が初めての赤ちゃんなのだと伝えると、シッターさんは目を大きく見開いて、
「そうだったの⁈ こんなに子どもたちの世話をする父親はなかなかいないよ！」
と大絶賛し、それ以来、常に夫をほめ倒してくれるようになった。夫はほめられるまま
にどんどん伸び代を発揮するようになった。この、見事なまでに後腐れなく朝令暮
改できる台湾人のマインドが、私はすごく好きだ。積極的に真似していきたい。

とってもエコなシッターの自宅託児制度

シッターさんの自宅で預かってもらうタイプの託児サービスを3年間利用したが、
非常に理にかなったシステムだと感じている。
次男のシッターさんは、この道ウン十年の大ベテラン。彼女の自宅には、ベビーベ
ッドやバウンサー、歩行器などが何台も置いてある。衣類やトイレトレーニング用の
下着なども豊富にストックがあるので、
「ほんの数ヶ月間しか使わないものは、うちから借りていけばいいの。新しく買うこ
となんてないのよ」
と、どんどん貸してくれる。

あっという間にサイズアウトして着られなくなる衣類やおむつ、あっという間に食べなくなるレトルトの離乳食、タイミングが来たら飲まなくなる粉ミルク……。育児にはたくさんの消費がつきものだ。でも、シッターさんのもとには次から次へと乳幼児がやってくる。そんな彼女のところに、まだ使えるものを託すことで、私自身も物を捨てずに済むし、新しく入ってくる子どもの保護者たちも、物を買わずに済む。

そんな風に感心していた私がおったまげたのは、シッターさんが、賞味期限が1ヶ月以内に迫った、日本製のレトルトベビーフードを大量に仕入れてきたことだった。

補足しておくと、台湾には日本の粉ミルクや、おむつ、ベビー用品などのメーカーが多数進出しており、店頭に並んでいる。同じ商品名でも、「日本産（製造からパッケージングまで日本でされたもの）」と、「台湾など日本以外の場所で作られたもの」があり、日本産の方が圧倒的に価格が高い。物にもよるが、およそ3倍ほどの価格差があるといって良いだろう。そんなわけで、日本で売られているのと同じ日本産のものは品質が良いと分かっているけれど、庶民にとっては毎日惜しみなく消費できるような代物ではない。

そんな中、賞味期限が迫った日本製のベビーフードが激安価格で売られており、シッターさんはそれらを大量に箱買いしてきたというわけだ。

「レトルトとはいえ、栄養はばっちりだからね。子どもたちも喜んで食べているよ!」と、ほくほくしている。シッターさんのネットワークは本当に侮れない。

彼女のところには、日々、さまざまな育児情報や物資が寄せられる。日本のメルカリのように、使用済みのアイテムを売り買いすることのできるアプリは台湾にもあるけれど、思い入れのあるものは、知っている人に使ってもらえるなら、役に立てるなら、お金はいらない。そんなゆるい互助関係が、彼女の周りにはあるのだ。

コロナ禍でも助かった

2019年1月生まれの次男は、その年の年末から始まるコロナ禍の影響を受け、3歳になるまでに公園での砂遊びも、プールでの水遊びもほとんどできずに過ごしてきた。

そんな中でも次男をシッターさんにお願いできたことは、結果的に見てとても良かったと思う。ワクチン接種ができない幼児たちをウイルスから守るために、私と夫、シッターさんは一致団結して過ごしてきた(台湾では2022年夏から、幼児へのワクチン接種が始まった）。シッターさんは毎日本当に緊張しながら消毒に励んでくれていたし（コロナ禍関係なく、もともと毎日おもちゃ一つひとつを消毒してくれてはいたけれど、コロナ禍ではその頻度が数時間単位になっていた）、彼女自身もできるだけ外出を控えて過ごしていた。

シッターさんの家に通ってくるほかの子どもの保護者たちとは顔見知りだったから、だいたいどんな暮らしをしているのか想像できたし、子どもの数も2〜3人と少人数なので、比較的安心して過ごすことができた。

だから、彼女がシッター講習で外出した際にコロナに感染し、次男をしばらくの間預けられなくなった時にも、彼女を責めるような気持ちは全く湧いてこなかった。むしろ、こんなギリギリの状態の中で踏ん張ってくれた彼女に、私も夫も、本当に感謝している。

頼れる親戚の少ない台湾でコロナ禍に直面した私は、さまざまな局面でシッターさんに助けてもらってきた。彼女の温かさに励まされ、思わず涙ぐんでしまうこともあった。そんな私に彼女はこう言った。

「私の娘も海外にいるから、あなたと同じなのよ。自分の娘が海外でされたら嬉しいことを、私もあなたにしているだけよ」

日本語が話せる彼女の娘さんは、ちょうどコロナ禍が始まったばかりの頃、日本で働くために旅立って行った。シッターさんは、片言の台湾華語を話し、台湾で働く私の姿に、自分の娘の姿を重ねていたのだった。どうか、日本で暮らす彼女の娘さんが、人の温かみを感じながら楽しく暮らせていますように。

良いシッターさんの見分け方とは？

周囲から最もよく訊かれるのが、「良いシッターさんの見分け方」だ。そして私自身も、知り合いの現役シッターさんにその質問をしたことがある。

「実のところ、〝悪いシッター〟というのはほとんどいないのよ。ただ、親御さんとシッターの〝育児への価値観〟が違うと、うまくいかないことが多いね。そして、その影響を受けるのは子どもたちなんだよ」

というのが、彼女の答えだった。確かに、技能試験などの選考を経てシッターになっている以上、ある程度の水準は満たしているのだから、〝良し悪し〟はどちらかというと価値観の違いに左右されるのかもしれない。

シッターさんとの契約には、台北市が用意した契約書が使われる。そしてその契約書には、ボーナスの時期と金額まで記載する欄が用意されている。そして、「シッターさんたちが気持ちよく子どもの世話ができるように」という理由で、最初にしっかり決めておくことが奨励されていた。依頼者とシッターが主従関係ではなく、対等な関係であることを実感させられる内容だった。

子育てにおいては、人によって衛生やしつけに対する感覚が大きく異なる。だからこそ面談の段階でそれを確認してから契約に移ることが大事だと思う。面談も一人ではなく、何人かに会ってみて、相対的に比較した方が良いだろう。そうした意味で、住宅探しに似ている。次男のシッターさんを探す時に何人かのシッターさんと家族全員で面談したことは前述したが、その時に会ったシッターさんのなかには、

「前に日本人の子どもを預かっていたことがある。その母親は毎日、とても美しいお弁当を持たせてきたわよ」

と誇らしげに話す人もいた。昼食と夕食はシッターさんにお願いしたかった私からすると、「美しいお弁当を用意して持たせる」という選択肢はなく、マッチングは成立しなかった。きちんとマッチした方に依頼するというのは、子どもが毎日楽しく過ごすためにも、とても大切なことなのだと思う。

子どもを排除しない社会

子連れで窮屈な思いをすることなんてない

子連れで台湾旅行をしたことがある人、暮らしたことがある人なら誰もが皆、「台湾の人はなんて子どもに優しいんだ！」と思ったことがあるのではないだろうか。もし日本で窮屈な思いをしている人がいたら、ぜひ台湾に遊びにきてほしいと思うほどだ。

まず、高級店も含め、ほとんどのレストランでは、ベビーチェアや子ども用の食器が用意されている。次男が小さい頃に家族で焼肉店に行った時も、離乳食を電子レンジで温めてもらったり、粉ミルクを溶かすためのお湯をもらったりした。

この手のエピソードは書いているときりがないが、私のママ友の娘さんはコンビニに行くたびに店頭で売っているワッフルを店員さんたちからこっそりタダでもらっていたし、私も先日次男を連れてドリンクスタンドでジュースを買ったところ、見知らぬスタッフのお姉さんにハイチュウを一本丸ごともらってしまった。

夜遅くに子どもを連れて夜市で遊んでいても誰も何も言わないし、「子連れＯＫ」のカラオケを探さずとも、カラオケには子連れで入ることができるのが普通だ（夜の時間帯には制限がある）。

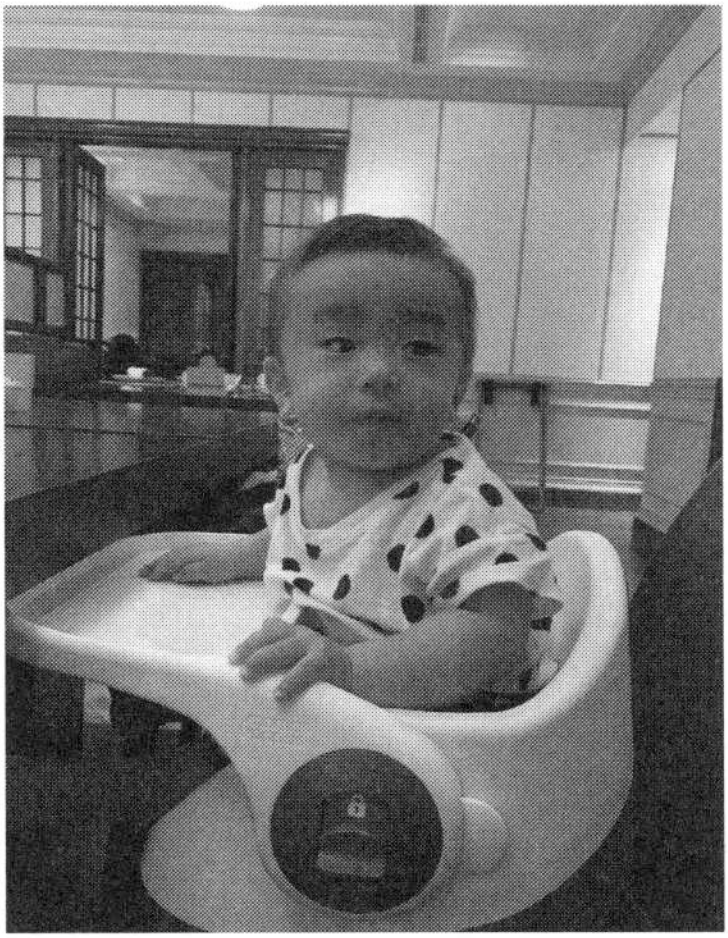

「ミシュラン」掲載の高級店にも、ベビーチェアは当然のように用意されている。

会議も忘年会も子連れＯＫ

社会から「子どもたちが排除されない」ということも、居心地の良さの重要な要素だ。

シングルマザー時代、幼稚園に入る前の長男を連れて会社に出勤していた私であるが、彼が幼稚園に行き始めた後、インフルエンザや腸病毒（エンテロウィルス。手足口病に近い症状が出る）

などの流行期間に「一週間クラス閉鎖」となった時などとも、子連れで出勤させてもらっていた。

会社を辞めて独立した今でも、仲の良い取引先との打ち合わせには（やむを得ない状況であれば）子連れで行ったりするし、そのまま一緒に昼食を食べたりもする。仲良しのブランドが主催する忘年会には、いつも子連れで参加させてもらっている。これは何も私が日本人だからとか、シングルマザーだったからという訳ではなく、メディア業界はみんなこんな感じだ。取材現場にせよ、記者発表会にせよ、仕事現場に子どもがいることは、何も珍しいことではない。友人の劉冠吟（リュウグワンイン）さんは、台湾で絶大な人気を誇る雑誌『小日子』の前発行人で、今はラジオのレギュラー番組を持つ業界でも有名な有識者だが、彼女のラジオ番組には娘さんが幼稚園児の頃から出演しているし、何なら愛犬も毎回一緒に収録ブース入りしている。

他の業界でも、小籠包が有名なレストラン「鼎泰豊（ディンタイフォン）」では、学校の休暇中で子どもを見てくれる人がいない場合は、会社の会議室が開放され、子どもを連れて行ったり、店内で昼食や夕食を食べさせても良いことになっているそうだ。そうした方針の企業は、規模の大小にかかわらず、ＩＴ業界にも多いと聞く。

仕事で出会った台湾の靴下ブランド「+10・テンモア」とは、シングルマザー時代からもう5年以上の付き合いを続けている。彼女たちは長男のことをとても可愛がってくれていて、私が次男を出産したばかりの頃、「最近、長男にあまり構ってあげられていなくて……」と漏らすと、台中の博物館に車で連れて行ってくれたり、陽明山にドライブに連れて行ってくれたりした(私抜きで!)。長男にとって「+10・テンモア」のメンバーやクリエイターたちは、「社会の中にいる、楽しいお姉さんお兄さん」のような存在になっている。

私が彼女たちとどのように付き合っているのか、ありのままを見せることも、子どもたちが社会を垣間見る、いい機会になるのではないかと思っている。

ベビーカーに優しいバス

台北は、交通の便がとても良い都市だ。電車も地下鉄もバスもタクシーも発達している。なかでも私がよく利用する交通手段は、バスだ。駅から遠い場所でもバス停があれば楽にアクセスできるし、地下鉄のように地下深くまで降りたりしなくても、思い立ったらパッと飛び乗ることができる。運転手によっては運転が荒くて涙が出そうになったり、酔ってしまって降りてからしばらく動けなくなることもあるのだが、それでもバスが好きだ。

次男を生後55日目からシッターさんに預けることになった当初、しばらくの間はバスに乗って送り迎えしていた。最初は抱っこ紐で、そして次第にベビーカーで。すると、運転手さんがマイク越しに訊いてくる。

「ベビーカーのお母さん、どこで降りるの？」

私が大声で降車場所を伝え、そのバス停に到着すると、降りやすい場所に車体を寄せて、

「ここで降りるのが安全だよ！」

と声をかけてくれる。

台北市内を走る路線にはバリアフリー対応のバスがかなり定着してきて、ベビーカーや車椅子用のスペースが設けられているし、乗り降り時には車体を地面近くまで下げてくれるのがとてもありがたい。車体が下がらないタイプのバスでも、周囲の人たちがベビーカーを押し上げるのを手伝ってくれるので苦労したことはないのだが。

ある時、バリアフリースペースにベビーカーを止めてその後ろに立っていたら、運

転手さんからマイク越しに、

「お母さん、座って少し休みなよ！」

なんて言われたこともあった。

仕事終わりの時間帯で混み合ったバスにベビーカーとともに乗った時などは、周囲の人は嫌な顔ひとつせず、自然にみんながベビーカーのハンドルを握ってベビーカーを支えてくれた（もしくは、吊り革の代わりにつかまっていただけなのかもしれない）。

バスのような狭い社会でも、子どもは排除されない。赤ちゃんや子どもを連れて乗ると、ほぼ何人かが反射的に席を立って譲ってくれようとする。バスはすぐに動き出すから、私たち母親は、譲ってもらえた席の中から最も近い場所に座るのだ。そして何事もなかったかのように、乗客たちは再びスマホの画面に目を落とし、自分の世界へと戻っていく。

ただでさえそんな感じなので、鶏おばちゃんに遭遇すると、もうすごいことになる。お菓子やおもちゃをもらったり、連絡先を交換してさようなら、なんていうのは日常茶飯事だ。

血がつながっていなくても、家族としてつながれる

もう一人の育ての親

「彼女は僕の『乾媽（ガンマー）』だよ」

こんな風に、台湾で暮らしているとよく聞く単語がある。

「乾親（ガンチン）」という契りを交わす、古くからの習慣で、「乾媽（育ての母親のこと）」「乾爸（ガンバー）（育ての父親のこと）」という、血のつながりはなくても、家族公認の育ての親的な存在になることを意味している。過去には伝統的な儀式が行われていた時代もあったようだが、現代は口約束で済まされることも多いようだ。台湾のドラマや映画などにもよく登場するので、台湾のエンタメが好きな方は聞いたことがあるかもしれない。

冒頭の言葉は、伝統市場で屋台の朝食店を取材していた時に聞いた。誰だかよく分からないけれど、何だかやたら親切にコーヒーなどを出してくれるおばちゃんがいるなと思っていたら、朝食店の男性オーナーから紹介されたのだ。

その乾媽は、私が屋台の前で取材をすると他のお客さんの邪魔になってしまうし、座る場所くらいは用意してあげようと、自分が営む洋品店を取材場所として提供してくれた。朝食店の男性は自分の母親とともに店を営んでおり、市場内で長い間商売を続けるうちに、母親とその女性が仲良くなり、結果的に、男性の乾媽になったのだという。

私の周囲でも乾媽は頻繁に登場するが、おしなべて、母親の仲良しの女性が子どもの乾媽になることが多いようだ。私の知る限り、乾媽たちはその子を自分や親戚の子どものように大切にするし、子どもも第二の母のような感じで乾媽に懐いていて、「今から乾媽の家に遊びに行ってくる〜。今夜はそのまま泊まるかも！」と言いながら出かけて行ったりする。

子どもたちが成長すると、自分の母親にするのと同じように、乾媽の生活のあれこれを手伝うようになる。コロナ禍で家族のマスクや消毒用のアルコールを買いに行く時、乾媽の分も買って届けたりするのだ。

この習慣が良いと私が思うのは、血のつながりがある人だけでなく、社会全体で子どもを育てられるという点だ。核家族化が進むとどうしても、「自分と家族さえ良ければそれでいい」となってしまいがちだ。でも、家族の外に大切な存在ができることで、社会を大切にしようとか、社会に貢献しようといった気持ちが芽生えてきて、社会の課題が決して人ごとではなくなる。

居心地の良い台湾社会は、社会が一つの大きな船で、その中に多様性を宿した人々が乗って暮らしているからこそ、醸し出されてくるものなのかもしれない。

日台の価値観の違い

台湾で子育てしていると、台湾人の「子どもはその家（親族も含んだファミリー）にとっての宝物」であるという価値観を間近で見ることになる。特にお金持ちや、自分たちで商売をしている家に見られる傾向だ。「良い」とされているものを与えようと積極的に投資するし、子どもの側もそれを当然のように受け入れ、人生を歩んでいるように見える。

それに対して、日本ではどちらかというと「子どもは親の所有物ではない」という価値観が大切にされているといえるだろう。私自身もその価値観を持っていて、子どもには小さなことから自分で決める練習をさせて、時が来たらなんでも自分で決定できるように導いてあげたいと思っている。そしていつかは、親が手を離さなければならないと。

台湾には「媽寶（ママの宝物）」という言葉がある。母親によって宝物のように甘やかされた結果、「マザコン」化した子どものことを指す（女性の場合は「女媽寶」と呼ばれる）。これが問題視されるのは主に「媽寶」と恋愛したり、結婚した女性が、その母親から干渉されて困っている場合だろう。

嫁姑問題は、台湾にも激しく存在する。いやむしろ、「台湾社会はおばちゃんで回っている！」と私が公言しているくらいなので、往々にして、おばちゃんである姑の方が手強い。でもそれは、子どもが一族の子孫であることを自覚するよう育てられてきた結果、なるべくして媽寶になったとも言えるし、ファミリー側も母と息子を支援するムードが強いことから、姑優位という構図が生まれているようにも感じられる。

そうした価値観も、台湾ならではだなと感じる。私の場合、台湾人夫の両親が離婚しているので姑問題はないのだが、こうした価値観の差が子育てにも影響を及ぼすのは、避けられない現実ではある。

ドタバタのバイリンガル教育

日本語の補習校に通った長男

「台湾社会ってこんな感じです」などと述べてきたが、私自身、高みの見物をしているような余裕はまったくない。

日本人が台湾で子育てしていると、日本人からも台湾人からも「お子さん、台湾華語も日本語も話せるの？　いいねぇ！」と言われることが多い。自分自身もシングルマザー時代から、「子どもに財産は何も残してあげられないから、せめて台湾華語という言語能力を付けてあげたい」という考えもあり、台湾で暮らし始めたという背景がある。

ただ、「台湾華語は現地校で学び、日本語は家庭で話していれば自然に身に付く」わけではないと、長男が幼稚園から小学校に進学するくらいのタイミングでやっと気が付いたのだった。長男と日本の同世代の子どもたちとは明らかにボキャブラリーに差があるし、彼は「話せる」けれど、「読み・書き」は苦手だった。家庭での日本語教育をどうするか、待ったなしの選択を迫られ、私と長男は、日台バイリンガル教育の道に足を踏み入れることになった。

私が再婚したのはちょうど長男が小学校に上がる直前のタイミングだった。偶然ではあるが、本格的に台湾華語の勉強が始まる時期に長男をサポートしてくれる助っ人が現れたのは本当に助かった。私は自分の余力を使って長男に日本語学習をさせたいと思うようになり、週末に授業を行う日本語の補習校に通わせることにした。

そこは教務・事務・運営のすべてが保護者によって行われており、教務担当以外の保護者も教室で授業をサポートしたり、登下校や授業中の安全確保のための見守りを分担する。さらに授業と並行して、年に一度の文集作成や学習成果発表会、避難訓練といった日本式の行事もこなす。親子で通い続けるには相応のエネルギーが必要だった。

普段は現地校に通い、週末だけ日本語を学ぶという同じような環境にいる子どもたちと一緒に日本語を学ぶことができるのは、とても良いことだと思っていたのだが、長男は4年生の前期が終了するとともに、補習校を退学した。当事者になってみて初めて、バイリンガルは決して自然に形成されるものではなく、相応の努力が必要であることを知ることができた。

台湾の小学生は覚える漢字が日本の倍!

ちなみに、台湾の小学生が6年間で覚える漢字は約2000〜2500字。一方、日本の小学校6年間で習うのは1026文字(2020年度からの新学習指導要領による)。日本語はひとつの漢字に対して音読訓読があるため、文字数だけで比較することはできないが、台湾では、覚えなければならない漢字の量が倍だ。

台湾では小学1年生からどっさり宿題が出される。担任教師の方針にもよるが、「親が見てもかわいそうになるくらいの量」というケースもある。小学生が夜遅くまで宿題をする姿は食堂やカフェでもよく見かける街角の光景だ。その宿題の大半を占めるのが漢字の書き取りで、「聲(声)」「邊(辺)」などの複雑な漢字も、小学1年生で習うから驚きだ(カッコ内は日本の小学校で教える漢字)。中国大陸では漢字が簡略化された「簡体字(かんたいじ)」が用いられているが、台湾ではこの複雑な「繁体字(はんたいじ)」を学ぶ。

自分の母語語であり、文字にまつわる仕事をしているというのもあって、以前の私は長男に「日本語ができるようになってほしい」という気持ちが強かったし、長男も私の気持ちに応えようと、彼なりに努力してくれたと思う。今の私は長男が日本語に苦手意識を持ってしまう方がよっぽどネガティブだと思い、とりあえず、毎週日本語の作文を書くことだけをゆるく続けることにした。書き方や文法が間違っていても気にしない。彼が「伝えたい」と思ったことを、日本語を使って私に届けてくれるのを応援するだけでいい。今は心からそう思っている。

台湾で語学塾を営むオーナーから聞いた言葉が今でも心に残っている。

「文章の行間を読める言語が何かひとつあれば、人間は救われる。まずひとつ柱となる言語を持つことが大切で、第二言語はそれからです」

長男にとっては、行間を読める母国語が一つでもあればいい。たとえそれが日本語でなくても。

私が暮らす台北市では、2026年から、全小中学校で台湾華語と英語のバイリンガル教育がスタートすることになっている。すでに計画はスタートしており、26年

長男が現地校で小学1年生の際、実際に使用していた国語（台湾華語）の教科書。すでに「聲」「邊」などの画数が多い漢字を習っていた。

には全学校がバイリンガル教育を実施できることを目指している。現状を見る限り、さまざまな課題を抱えているようではあるものの、その方向で教育が進んでいくことは間違いないだろう。

そしてこの秋から次男が通う幼稚園もまた、バイリンガル教育だ。私はますます自分の老いた脳に鞭を打って、子どもたちとともにゆるくトライリンガルを目指すことになりそうだ。

台湾でおばちゃんになった私

ブーゲンビリアのように！

思いもよらず台湾でおばちゃんになるに至った私だが、ある意味、とてもラッキーだったと思っている。

台湾で出会う「同調圧力に縛られず」「言いたいことは主張し」「思いやりと情にあふれた」おばちゃんたちは、皆とても人間らしく、チャーミングに見える。いろいろあるけれど、「まぁしょうがないよね、そんな時もあるよ」と言いながら、柔軟にポジティブに、前を見て生きている。その姿はまるで、台湾の街中に元気よく生い茂るブーゲンビリアのようだ。

人から「素敵な人ね」と言われるのは嬉しいことだけど、世間の「素敵」に合わせるために自分を曲げていくというのは、なんだかちょっともったいない。台湾で暮らし、歳を重ねるうちに、私は心底そう思うようになっていった。

女性として生きていれば、いつかは誰もがおばちゃんになる日が来るのだから、「自分はどんなおばちゃんになりたいのか」という問いは、全女性共通のものなはずだ。

今回本書を書いてみて、11年間の台湾暮らしで私の価値観が大きく変化していたことに、自分でも驚いた。台湾企業に勤める一般社員として、駐在妻として、妊娠・出産した母親として、フリーランスや経営者として、シングルマザーとして、子連れで再婚した日本人として……さまざまな立場で台湾社会を見聞できたことは、視座を大きく押し拡げるとともに、自分がいかに物事を知らないのかを思い知らせてくれた。

もちろんすべての女性に台湾暮らしをおすすめすることはできない。でも、すぐお隣の台湾でのびのびと暮らすおばちゃんたちの姿や、彼女たちに出会った私の価値観が揺さぶられるさまを伝えることで、あなたを知らず知らずのうちにとらえている呪縛のようなものを、少しだけ緩めることができないだろうか？　と、本気で考えている。

あとがき

『台湾はおばちゃんで回ってる⁈』なんて、ずいぶん思い切ったタイトルをつけてしまった。

とはいえ、2019年にはジェンダー平等のパフォーマンスが世界第6位、アジア首位になったし、翌2020年には国会議員の女性比率がアジアでトップとなる4割強を達成している。「おばちゃん」であるかどうかはともかく、「女性が社会に参画できている」と言っても差し支えないだろう。ただ、台湾がずっとそうだったわけではないことを付け加えて、本書を締めくくりたい。

台湾は、おそらく日本よりずっと最近まで、男尊女卑社会だったように思う。国連が採択した「女子差別撤廃条約」を日本が批准し、「男女雇用機会均等法」を制定したのが1985年。その2年後の1987年に、台湾は38年間敷かれていた「戒厳令」を解除した。世界がジェンダー平等に向けて舵切りをしているタイミングに大きく遅れを取ってはいるものの、台湾では多くの国民が投獄・処刑され、あらゆる人権が制限される「白色テロ」の時代に終止符を打つことができた。それでも、戒厳令の解除後しばらくは権威社会の名残が続いていたと聞く。私より二回りほど上の世代には、女性の月経は「不浄」であり、月経期間中はお寺への参拝をしてはならないとか、お風呂も男性より後に使用すべきなどと考える人もいるそうだ。

それでも、今の台湾がここまで民主的な社会を実現することができたのは、決して誰かから与えられたからではない。バトンリレーのように、皆で繋いで獲得してきたからだ。

台湾のジェンダー平等を大きく前進させる分岐点となったのは、2005年に憲法の改正で「クオータ制（格差是正のためにマイノリティに割り当てを行うポジティブ・アクションの手法の一つ）」が導入され、比例区の議員当選者の男女比を同数とすることが定められたことだ。その背景には、女性運動の象徴・彭婉如（ポンワンルゥ）さんの存在がある。当時10分の1だった女性枠を4分の1に広げようと奮闘した彭さんは、1996年に失踪し、惨殺遺体で見つかった。事件は犯人が捕まることのないまま時効を迎えてしまったが、彼女の意思を継ぐ人々が、社会を前進させてきた。

台湾は2019年にアジア初となる同性婚姻の合法化を実現したことでも知られるが、もともとジェンダーの平等が存在していたわけではない。2000年に起きた「葉永鋕（イエヨンヂー）事件（女性らしい振る舞いが原因で、当時中学3年生だった葉さんがいじめを受け、学校のトイレで転倒して頭を強打し、翌日未明に亡くなった事件）」が起こったことがきっかけでジェンダー教育への議論が高まり、2004年に「ジェンダー平等教育法」が制定・施行された。

ジェンダー平等だけではない。脱プラスチック化が進む台湾では、2030年までにレジ袋やストロー・コップなどの使い捨てプラスチック製品を全面禁止にすべく、2019年には一部の大手チェーン店での店内飲食におけるプラスチックストローの提供を禁止したが、これも一人の女子高生の呼びかけに賛同が集まって実現したことだ。

「社会を変えたい」と行動し、そこから小さな成功体験を積み重ねることで、台湾社会はここまでアップデートされてきた。

私はこのダイナミックに変化する台湾社会の片隅に身を置き、子育てすることで、大切なことを最前線で学べているようにも感じている。

一人のおせっかいなおばちゃんとして、日本人として、私はあなたの心に何かを届けることができただろうか？

2022年11月　近藤弥生子

近藤弥生子　こんどう やえこ

台湾在住の編集者・ノンフィクションライター。1980年福岡生まれ、茨城育ち。東京の出版社で雑誌やウェブ媒体の編集に携わったのち、2011年に台湾へ移住。結婚、出産を経て一度日本に戻ったものの離婚し、「シングルマザーとして生きるなら台湾のほうがいい」と2歳の長男を連れて再度移住。現地企業で約6年働き、再婚、次男を出産。日本語・繁体字中国語でのコンテンツ制作を行う草月藤編集有限公司を設立し、現在は雑誌『&Premium』『Pen』等で台湾について連載するなど、生活者目線での取材・執筆活動を行う。"台湾のおばちゃん"に入門後、絶賛修業中。
＊オフィシャルサイト「心跳台湾」　＊Instagram, Twitter @yaephone
＊Voicy『近藤弥生子の、聴く《心跳台湾》』

本作品は当文庫のための書き下ろしです。

読んで旅する
よんたび

台湾(たいわん)はおばちゃんで回(まわ)ってる?!

著者　近藤弥生子(こんどうやえこ)

2022年12月15日　第1刷発行
2024年3月20日　第2刷発行

発行者　佐藤 靖
発行所　大和書房(だいわ)
東京都文京区関口1-33-4
電話 03-3203-4511
フォーマットデザイン　吉村 亮（Yoshi-des.）
本文写真　近藤弥生子
本文印刷　光邦
カバー印刷　山一印刷
製本　小泉製本

ISBN978-4-479-32039-5
乱丁本・落丁本はお取り替えいたします
https://www.daiwashobo.co.jp